GARANTIE DE L'ÉDITEUR

Pour vous parvenir à son plus juste prix, cet ouvrage a fait l'objet d'un gros
tirage. Malgré tous les soins apportés à sa fabrication, il est malheureusement
possible qu'il comporte un défaut d'impression ou de façonnage. Dans ce cas,
ce livre vous sera échangé sans frais.
Veuillez à cet effet le rapporter au libraire qui vous l'a vendu ou nous écrire
à l'adresse ci-dessous en nous précisant la nature du défaut constaté. Dans
l'un ou l'autre cas, il sera immédiatement fait droit à votre réclamation.
Librairie Gründ - 60, rue Mazarine - 75006 Paris

Adaptation française de Anne Dechanet
Texte original de Lewis Carroll
Illustrations de Eric Kincaid
Secrétariat d'édition : Jeanne Castoriano

Édition française 1993 Librairie Gründ
© 1993 Librairie Gründ
Première édition française 1988 Compagnie internationale du livre (CIL)
ISBN : 2-7000-4133-X
Dépôt légal : août 1993
Édition originale 1988 par Brimax Books Ltd
sous le titre original *Alice in Wonderland*
© 1988 Brimax Books Ltd
Photocomposition : PFC, Dole
Imprimé en Espagne par Graficromo S.A.

Loi n° 49-956 du 16 juillet 1949 sur les publications destinées à la jeunesse.

ALICE AU PAYS DES MERVEILLES

Texte original de Lewis Carroll

Illustrations de Eric Kincaid

Adaptation française de Anne Dechanet

GRÜND

Alice Pleasance Liddell

Introduction

Charles Lutwidge Dodgson est né le 27 janvier 1832. Il fait ses études à *Richmond Grammar School, Rugby School,* et enfin à *Christ Church,* Oxford, où il enseigne les mathématiques jusqu'en 1881.

En 1856, il adopte le pseudonyme de Lewis Carroll. Il se passionne pour la photographie, et prend souvent pour modèle la petite Alice Pleasance Liddell, la fille du doyen de Christ Church. (Le portrait ci-dessus date de 1859.)

En 1865, il publie *Alice au Pays des Merveilles,* écrit pour Alice Pleasance Liddell. Puis, en 1867, il rédige *De l'autre côté du miroir,* autre conte pour les enfants où l'on retrouve la petite Alice du Pays des Merveilles. Le livre paraît en 1871 et connaît rapidement un immense succès.

Lewis Carroll est également l'auteur de poèmes satiriques, d'un roman, *Sylvie et Bruno* (1899), mais aussi d'ouvrages de mathématiques et de logique qu'il publie, cette fois, sous le nom de Charles Dodgson.

Sommaire

Chapitre		Page
1	Dans le terrier du lapin	9
2	La mare de larmes	15
3	Une course au caucus et une longue histoire	23
4	La grande descente du petit Bill	31
5	Conseils d'une chenille	40
6	Poivre et cochon	49
7	Le thé chez les fous	58
8	Le terrain de croquet de la Reine	68
9	L'histoire de la Tortue-Parodie	77
10	Le quadrille des homards	85
11	Qui a volé les tartes ?	94
12	La déposition d'Alice	102

CHAPITRE 1

Dans le terrier du lapin

Assise à côté de sa sœur, sur le talus, Alice commençait à être fatiguée de n'avoir rien à faire. Elle avait bien jeté un coup d'œil sur le livre que lisait sa sœur, mais il ne contenait ni images, ni dialogues, et « à quoi peut bien servir un livre sans images ni dialogues ? » pensait Alice.

Elle se demandait (dans la mesure où elle en était capable, car elle se sentait tout engourdie par la chaleur) si le plaisir de tresser une guirlande de pâquerettes valait la peine de se lever et d'aller cueillir des pâquerettes, quand soudain un Lapin Blanc aux yeux roses passa près d'elle en courant.

Il n'y avait là rien de *très* remarquable ; et Alice ne trouva pas non plus *très* extraordinaire d'entendre le Lapin marmonner : « Oh, mon Dieu ! Oh, mon Dieu ! Je vais être en retard ! » (Quand elle y repensa par la suite, il lui vint à l'esprit qu'elle aurait dû s'en étonner, mais

sur le moment cela lui parut tout naturel) ; cependant, lorsque le Lapin *tira une montre de la poche de son gilet*, regarda l'heure, puis se remit à courir de plus belle, Alice se leva d'un bond car l'idée lui était venue, tout à coup, qu'elle n'avait jamais vu de lapin pourvu d'un gilet ou d'une montre. Brûlant de curiosité, elle se lança à sa poursuite à travers champs et l'aperçut juste comme il s'engouffrait dans un large terrier, sous la haie.

Un instant plus tard, elle y pénétrait à son tour sans se demander comment elle pourrait en ressortir.

Le terrier s'étendait d'abord horizontalement comme un tunnel, puis il présentait une pente brusque, si brusque qu'avant d'avoir pu songer à s'arrêter, Alice sentit qu'elle tombait dans ce qui avait tout l'air d'être un puits profond.

Il fallait que le puits fût profond, ou qu'Alice tombât très lentement car, dans sa chute, elle eut tout le temps de regarder autour d'elle et de se demander ce qu'il allait se passer. D'abord elle essaya de regarder en bas, pour se rendre compte de l'endroit où elle allait atterrir, mais il faisait trop sombre pour voir quelque chose ; puis elle examina les parois du puits, et remarqua qu'elles étaient couvertes de placards et d'étagères. Çà et là, des cartes et des tableaux étaient accrochés. Au passage, elle attrapa sur l'une des étagères un pot étiqueté : « CONFITURE D'ORANGES », mais à son grand désappointement il était vide. Elle n'osa pas le lâcher de peur de blesser quelqu'un, en dessous, et le reposa dans un des placards devant lequel elle passait en tombant.

« Eh bien ! se dit Alice. Après une chute pareille, je n'aurai plus peur de tomber dans l'escalier ! Comme ils vont me trouver courageuse à la maison ! Ma foi, même si je dégringole du toit, je ne dirai rien ! » (cela était fort vraisemblable, en effet).

Plus bas, plus bas, toujours plus bas. Cette chute n'en finirait-elle donc jamais ? « Je me demande combien de kilomètres j'ai déjà parcouru ? dit-elle à voix haute. Je dois maintenant être arrivée près du centre de la terre. Voyons : cela doit faire six mille kilomètres... (car, voyez-vous, Alice avait appris des tas de choses à l'école, et bien qu'elle ait mal choisi son moment pour étaler ses connaissances, dans la mesure où il n'y avait personne pour l'écouter, elle trouvait que c'était un excellent exercice de les répéter). Oui, c'est à peu près la distance – mais je me demande à quelle Latitude et quelle Longitude je me trouve ? » (Alice n'avait pas la moindre idée de ce qu'était la Latitude ou la Longitude, mais elle trouvait que c'étaient des mots savants agréables à prononcer).

« Je me demande, poursuivit-elle, si je vais traverser *entièrement*

la terre ! Comme ce serait drôle de ressortir chez ces gens qui marchent la tête en bas ! les Antipattes, je crois... (Cette fois, elle était plutôt contente qu'il n'y eut personne pour l'écouter, car cela n'avait pas l'air d'être le mot juste)... mais je serai obligée de leur demander le nom du pays. Pardon, Madame, suis-je en Nouvelle-Zélande ou en Australie ? (et elle essaya de faire la révérence tout en parlant – imaginez à quoi peut ressembler une révérence quand vous tombez dans le vide ! Essayez pour voir !) Et la dame pensera que je suis une petite fille bien ignorante ! Non, il vaudra mieux ne rien demander. Peut-être verrai-je le nom du pays écrit quelque part. »

Plus bas, plus bas, toujours plus bas. Comme il n'y avait rien d'autre à faire, elle se remit à parler : « Je vais beaucoup manquer à Dinah ce soir, c'est sûr ! (Dinah était la chatte d'Alice). J'espère que l'on n'oubliera pas de lui donner sa soucoupe de lait, à l'heure du thé. Dinah, ma chérie ! Comme j'aimerais t'avoir ici avec moi ! Il n'y a pas de souris dans les airs, mais tu pourrais attraper une chauve-souris, et cela ressemble beaucoup à une souris, vois-tu. Mais, les chats mangent-ils les chauves-souris ? je me le demande. » A ce moment, Alice, qui commençait à s'assoupir, se mit à répéter, comme si elle rêvait : « Les chats mangent-ils les chauves-souris ? Les chats mangent-ils les chauves-souris ? » Et parfois : « Les chauves-souris mangent-elles les chats ? » Car, voyez-vous, comme elle ne pouvait répondre à l'une ou l'autre des deux questions, peu importait laquelle elle se posait. Elle sentit qu'elle s'endormait pour de bon, et commençait à rêver qu'elle marchait la main dans la patte avec Dinah, en lui demandant très sérieusement : « Maintenant, Dinah, dis-moi la vérité : as-tu jamais mangé une chauve-souris ? » quand, soudain, patatras ! elle atterrit sur un tas de branchages et de feuilles mortes.

Alice ne s'était pas fait mal, et se releva aussitôt : elle leva les yeux mais il faisait tout noir au-dessus de sa tête. Devant elle, s'étendait un autre long couloir, et elle aperçut le Lapin Blanc qui courait à toute vitesse. Il n'y avait pas une minute à perdre : Alice s'élança comme une flèche à sa poursuite et arriva juste à temps pour l'entendre dire, comme il disparaissait dans un tournant : « Par mes oreilles et mes moustaches, comme il se fait tard ! » Elle le suivait de très près, mais quand elle eut prit le tournant à son tour, le Lapin avait disparu : elle se trouvait dans une salle longue et basse éclairée par une rangée de lampes qui pendaient du plafond. Il y avait des portes tout autour de la salle, mais elles étaient fermées à clé ; et quand Alice en eut fait le tour, en essayant de les ouvrir l'une après

l'autre, elle revint tristement au milieu de la pièce, en se demandant comment elle ferait pour sortir. Soudain elle aperçut une petite table à trois pieds, en verre épais : il n'y avait rien dessus, si ce n'est une minuscule clé d'or. La première idée d'Alice fut que cette clé devait ouvrir une des portes de la salle ; mais, hélas ! soit que les serrures fussent trop grandes, ou la clé trop petite, aucune porte n'accepta de s'ouvrir. Toutefois, le seconde fois qu'elle fit le tour de la salle, Alice découvrit un rideau qu'elle n'avait pas encore remarqué, et derrière se trouvait une petite porte haute de quarante centimètres environ : elle essaya de glisser la petite clé d'or dans la serrure et fut ravie de constater qu'elle s'adaptait parfaitement.

Alice ouvrit la porte et vit qu'elle donnait sur un corridor étroit, à peine plus large qu'un trou à rat. Elle s'agenouilla et aperçut au bout de ce corridor le plus joli jardin que l'on puisse imaginer. Comme elle aurait voulu sortir de cette salle noire, et se promener parmi ces parterres de fleurs aux couleurs éclatantes et ces fraîches fontaines ! Mais elle ne pouvait même pas passer la tête par l'ouverture de la porte ; « et, même si ma tête passait, se dit la pauvre Alice, cela ne servirait à rien, car mes épaules ne suivraient pas. Oh ! que je voudrais pouvoir rentrer en moi-même à la manière d'un télescope ! Je suis sûre que j'y arriverais, si je savais comment m'y prendre pour commencer. » Car, voyez-vous, tant de choses extraordinaires venaient de lui arriver qu'Alice commençait à croire que rien ou presque n'était vraiment impossible.

Comme il semblait inutile d'attendre près de la petite porte, Alice revint vers la table dans le vague espoir d'y trouver une autre clé ou, du moins, un livre expliquant ce qu'il fallait faire pour rentrer en soi-même comme un télescope. Cette fois elle trouva sur la table une petite bouteille (« qui, à coup sûr, se dit Alice, ne s'y trouvait pas tout à l'heure ») dont le goulot était entouré d'une étiquette portant les mots : « BOIS-MOI ». C'était bien joli de dire : « Bois-moi », mais la sage petite Alice n'était pas si imprudente. « Non, il faut d'abord, dit-elle, que je voie si le mot *poison* n'est pas inscrit quelque part » ; car elle avait lu plusieurs charmantes petites histoires où il était question d'enfants brûlés vifs, ou dévorés par des bêtes féroces, ou auxquels il était arrivé toutes sortes de mésaventures désagréables, tout cela parce qu'ils n'avaient pas *voulu* se souvenir des bons conseils de leurs amis : par exemple, qu'un tisonnier chauffé au rouge vous brûle si vous le tenez trop longtemps ; que si l'on se coupe le doigt très profondément, il saigne ; et elle n'avait jamais oublié que, si l'on boit le contenu d'une bouteille portant l'inscription « poison », tôt ou tard, on risque de s'en repentir.

*Elle s'agenouilla et aperçut au bout du corridor le plus joli jardin
que l'on puisse imaginer.*

Toutefois, le mot « poison » *ne* figurant *pas* sur ce flacon, Alice se hasarda à en goûter le contenu et, comme elle le trouva délicieux (en fait, le liquide avait une saveur de tarte aux cerises, mêlée de crème renversée, d'ananas, de dinde rôtie, de caramel et de toast beurré), elle l'avala jusqu'à la dernière goutte.

* * * * *

« Quelle curieuse sensation ! dit Alice. On dirait que je rentre en moi-même comme un télescope ! »

Et c'était vrai : elle mesurait à peine vingt-cinq centimètres ! Son visage s'illumina à la pensée qu'elle avait maintenant la taille idéale pour passer par la petite porte et pénétrer dans le merveilleux jardin. Néanmoins, elle attendit d'abord quelques instants pour voir si elle allait encore rapetisser. Cette idée la rendait nerveuse. « Car, voyez-vous, se disait Alice, si ça continue, je risque de disparaître tout à fait, comme une bougie. Je me demande de quoi j'aurais l'air, alors ! » Elle essaya d'imaginer à quoi ressemblait la flamme d'une bougie, une fois la bougie éteinte, car elle ne se souvenait pas avoir rien vu de pareil.

Au bout d'un moment, comme il ne se passait rien, elle décida d'aller dans le jardin. mais, hélas ! pauvre Alice ! Arrivée devant la porte, elle s'aperçut qu'elle avait oublié la petite clé en or et, quand elle arriva devant la table pour la prendre, elle comprit qu'il lui était devenu impossible de l'atteindre. Elle la voyait distinctement à travers le verre et essaya d'escalader l'un des pieds de la table, mais il était trop glissant. Quand elle se fut épuisée en efforts inutiles, la pauvre petite s'assit par terre et fondit en larmes.

« Allons ! Ça ne sert à rien de pleurer comme ça ! se dit Alice avec sévérité. Je te conseille de t'arrêter tout de suite ! » Elle se donnait généralement de très bons conseils (mais qu'elle suivait rarement), et il lui arrivait de se gourmander si fort qu'elle en avait les larmes aux yeux. Elle se rappelait avoir même essayé une fois de se tirer les oreilles pour avoir triché dans une partie de croquet qu'elle jouait contre elle-même, car cette étrange petite fille aimait beaucoup faire semblant d'être deux personnes. « Mais il est inutile, à présent, pensa la pauvre Alice, de faire semblant d'être deux ! C'est tout juste s'il reste assez de moi pour faire une *seule* vraie personne ! »

Bientôt son regard tomba sur une petite boîte en verre posée sous la table : elle l'ouvrit et y trouva un minuscule gâteau, sur lequel les mots « MANGE-MOI » étaient joliment dessinés avec des raisins secs.

« Eh bien, mangeons-le, dit Alice, s'il me fait grandir, je pourrai attraper la clé ; et s'il me fait rapetisser, je pourrai me glisser sous la porte : dans un sens ou dans l'autre, je pourrai entrer dans le jardin, et je me moque bien de ce qui m'arrivera ensuite ! »

Elle mangea un petit morceau du gâteau, et se dit avec anxiété : « Dans quel sens ? dans quel sens ? », tout en posant sa main sur sa tête pour voir si elle grandissait ou rapetissait, et fut toute surprise de constater qu'elle gardait la même taille. A vrai dire, c'est généralement ce qui se passe quand on mange un gâteau ; mais depuis un petit moment, Alice était tellement habituée aux événements les plus extraordinaires, qu'il lui parut bien triste et stupide de s'apercevoir qu'il ne se produisait rien d'anormal.

Du coup, elle se dépêcha de terminer le gâteau.

CHAPITRE 2

La mare de larmes

« De plus en plus pire ! » s'écria Alice (sa surprise était si grande que, sur le moment, elle en oublia de parler correctement). « Voilà maintenant que je m'allonge comme le plus grand télescope du monde ! Au revoir, mes pieds ! (car lorsqu'elle regardait ses pieds, il lui semblait les distinguer à peine, tant ils étaient loin). Oh, mes pauvres petits pieds, je me demande qui vous mettra vos bas et vos souliers maintenant, mes chéris ? pas moi, en tout cas ! Je serai bien trop loin pour pouvoir m'occuper de vous : il faudra vous débrouiller tout seuls – mais il faut que je sois gentille avec eux, pensa Alice. Sinon ils risquent de ne plus m'emmener où je voudrais aller. Voyons un peu. Je leur offrirai une paire de souliers neufs à chaque Noël. »

Et elle se mit à imaginer comment elle s'y prendrait. « Il faudra que je les confie à un coursier, se dit-elle. Comme ce sera drôle d'envoyer des cadeaux à ses propres pieds, et comme l'adresse paraîtra bizarre !

> *Monsieur le Pied Droit d'Alice*
> *Devant le Foyer,*
> *Près du Garde-Feu,*
> *(avec l'affection d'Alice).*

Oh, mon Dieu ! quelles bêtises je suis en train de dire ! »

Juste à ce moment, sa tête heurta le plafond : c'est qu'elle mesurait à présent plus de deux mètres soixante-quinze. Elle s'empara aussitôt de la petite clé d'or et se précipita vers la porte du jardin.

Pauvre Alice ! Tout ce qu'elle put faire, ce fut de se coucher sur le côté et de regarder d'un œil dans le jardin. Plus que jamais, il lui était impossible d'entrer. Elle s'assit et se remit à pleurer.

« Tu devrais avoir honte ! se dit Alice, une grande fille comme toi, (c'était le cas de le dire), pleurer ainsi ! Veux-tu bien t'arrêter tout de suite ! » Mais elle continua à verser des torrents de larmes qui formèrent bientôt une grande mare autour d'elle, profonde de dix centimètres, et qui atteignait le milieu de la salle.

Au bout d'un moment, elle entendit un bruit de petits pas précipités dans le lointain, et se hâta de s'essuyer les yeux pour voir qui arrivait. C'était le Lapin Blanc, magnifiquement habillé, tenant d'une main une paire de gants en chevreau blancs, et de l'autre un éventail. Il trottinait à vive allure, tout en marmonnant : « Oh ! la Duchesse, la Duchesse ! Oh ! elle sera furieuse si je la fais attendre ! » Alice se sentait si désespérée qu'elle était prête à demander de l'aide à n'importe qui ; aussi, quand le Lapin passa près d'elle, elle commença d'une petite voix timide : « S'il vous plaît, monsieur... » Le Lapin sursauta violemment, laissa tomber ses gants blancs et son éventail, puis s'enfonça à toute vitesse dans l'obscurité.

Alice ramassa l'éventail et les gants et, comme il faisait très chaud, elle se mit à s'éventer tout en parlant : « Mon Dieu, mon Dieu ! Que tout est bizarre aujourd'hui ! Et dire qu'hier tout se passait normalement. C'est à se demander si on m'a changée cette nuit. Voyons : *étais*-je la même quand je me suis levée ce matin ? Je crois me rappeler que je me suis sentie un peu différente. Mais si je ne suis pas la même, qui suis-je alors ? C'est bien *là* le problème ! » Et elle se mit à penser à toutes les petites filles de son

âge qu'elle connaissait, pour découvrir si elle n'était pas devenue l'une d'elles.

« Je ne suis certainement pas Ada, dit-elle, car elle a de longs cheveux bouclés, et les miens sont plutôt raides. Et je suis sûre aussi de n'être pas Mabel, car je sais toutes sortes de choses, et elle, elle ne sait presque rien ! En outre, *elle est* elle, et *je suis* moi, et – Oh, mon Dieu, comme tout cela est compliqué ! Je vais m'assurer que je sais toujours ce que je savais jusqu'ici. Voyons : quatre fois cinq douze, et quatre fois six treize, et quatre fois sept – Oh, là là ! A ce rythme, je n'arriverai jamais jusqu'à vingt ! Mais la table de multiplication ne prouve rien. Essayons la géographie. Londres est la capitale de Paris, et Paris est la capitale de Rome, et Rome – Non ! tout *ça* est faux, j'en suis certaine ! On a dû me changer en Mabel ! Je vais essayer de réciter *Comme la petite abeille* . » Elle croisa les mains sur les genoux comme si elle récitait une leçon, mais sa voix lui parut rauque et bizarre, et les mots n'étaient pas ceux qu'elle connaissait :

> *Voyez comme elle brille*
> *La queue du petit crocodile*
> *Lorsque sur ses écailles d'or*
> *Il répand les eaux du Nil.*
>
> *Comme il sourit gentiment*
> *Comme il desserre bien ses griffes*
> *Lorsque entre ses grandes mâchoires*
> *Il accueille les petits poissons.*

« Je suis sûre que ce n'est pas du tout ça », dit la pauvre Alice, et ses yeux se remplirent de larmes. « Je dois être Mabel, après tout, et il va falloir que j'aille habiter cette horrible petite maison, je n'aurai presque plus de jouets et j'aurai plein de leçons à apprendre ! Non, c'est décidé : si je suis Mabel, je reste ici ! Ils auront beau pencher la tête vers moi et dire : "Remonte, ma chérie !" je me contenterai de lever les yeux et de répondre : "Qui suis-je maintenant ? Dites-le moi d'abord, et ensuite, s'il me plaît d'être cette personne, je remonterai : sinon, je resterai ici jusqu'à ce que je sois quelqu'un d'autre." Mais, oh, mon Dieu ! s'écria Alice en éclatant en sanglots, comme j'aimerais qu'ils penchent leur tête vers moi ! J'en ai *tellement* assez d'être ici toute seule ! »

En disant cela, elle regarda ses mains et fut surprise de constater qu'elle avait enfilé un des petits gants blancs du Lapin. « Comment

ai-je pu y arriver ? pensa-t-elle. Il faut que je sois à nouveau en train de rapetisser. » Elle se leva et s'approcha de la table pour se mesurer. Autant qu'elle put en juger, elle ne dépassait pas, à présent, soixante-dix centimètres et continuait à diminuer rapidement : elle découvrit bientôt que la cause de tout cela était l'éventail qu'elle tenait à la main et le lâcha prestement, juste à temps pour éviter de disparaître complètement.

« Je l'ai échappé belle ! » se dit Alice, effrayée de sa brusque transformation, mais bien contente d'être encore en vie. « Et maintenant, le jardin ! » Elle se précipita vers la petite porte. Mais, hélas ! la petite porte était toujours fermée, et la petite clé d'or reposait toujours sur la table de verre. « C'est pire que jamais, pensa la pauvre Alice, car je n'ai jamais été aussi petite, jamais ! Ce n'est vraiment pas de chance ! »

A ces mots, son pied glissa, et plouf ! elle se retrouva dans l'eau salée jusqu'au menton. Sa première idée fut qu'elle était tombée à la mer. « Dans ce cas, je pourrai rentrer par le train », se dit-elle. (Alice était allée une fois au bord de la mer et elle en avait tiré la conclusion, définitive, que sur toutes le côtes anglaises, on trouvait un certain nombre de cabines de bain, des enfants creusant le sable avec des pelles en bois, puis une rangée de pensions de famille, et enfin une gare de chemin de fer.) Cependant, elle finit par comprendre qu'elle était tombée dans la mare de larmes qu'elle avait versées lorsqu'elle mesurait trois mètres de haut.

« Comme je regrette d'avoir tant pleuré ! se dit Alice tout en nageant et en cherchant à regagner la terre ferme. Si ça continue, je vais me noyer dans mes propres larmes. Ce sera ma punition ! Voilà qui sera bizarre, c'est certain ! Mais tout est bizarre, aujourd'hui. »

Juste à ce moment elle entendit patauger dans la mare, pas très loin, et se mit à nager en direction du bruit, pour voir ce que c'était : tout d'abord elle pensa que c'était un phoque ou un hippopotame. Puis, elle se souvint de sa petite taille et découvrit bientôt que c'était seulement une souris qui avait glissé comme elle.

« A quoi pourrait bien me servir de parler à cette souris ? se demanda Alice. Tout est si extraordinaire ici, qu'il est très possible qu'elle parle, comme moi. En tout cas, je peux toujours essayer : O Souris, sais-tu comment on peut sortir de cette mare ? Je suis si fatiguée de nager, O Souris ! » (Alice pensait que c'était sur ce ton qu'il fallait s'adresser à une souris : c'était la première fois qu'elle faisait une chose pareille mais elle se souvenait avoir vu dans la grammaire latine de son frère : « Une souris – d'une souris – à une

souris – une souris – ô souris »). La souris la regarda avec curiosité, Alice crut la voir cligner de l'œil, mais elle ne répondit pas.

« Peut-être ne comprend-elle pas l'anglais, pensa Alice. Ce doit être une souris française arrivée avec Guillaume le Conquérant. » (Malgré ses connaissances historiques, Alice n'avait qu'une très vague idée de la date à laquelle s'était passé cet événement.) Elle reprit donc : « Où est ma chatte ? » C'était la première phrase de son livre de français. La souris bondit hors de l'eau, toute tremblante de frayeur. « Oh, je te demande pardon ! » s'écria Alice, craignant d'avoir blessé la pauvre petite bête. « J'avais oublié que tu n'aimais pas les chats.

– Que je n'aime pas les chats ! s'exclama la Souris d'une voix aiguë et furibonde. Vous aimeriez les chats, *vous*, si vous étiez à ma place ?

– Peut-être bien que non, répondit Alice d'un ton conciliant. Il ne faut pas te fâcher comme ça. Et pourtant j'aimerais bien te montrer notre chatte Dinah. Je parie que tu te mettrais à adorer les chats si tu la voyais une seule fois. Elle est si mignonne », poursuivit Alice à mi-voix, tout en nageant paresseusement dans la mare, « et elle ronronne si gentiment, assise près du feu, tandis qu'elle se lèche les pattes et se nettoie le museau – et elle est si douce à caresser –, et puis elle attrape si bien les souris – oh, je te demande pardon ! » s'écria de nouveau Alice. Car, cette fois, la Souris était toute hérissée, et Alice était certaine de l'avoir profondément offensée. « Nous ne parlerons plus de Dinah, puisque cela ne te plaît pas.

– Nous, vraiment ! s'écria la Souris, qui tremblait de la tête jusqu'au bout de la queue. Comme si *moi*, j'avais abordé un tel sujet ! Dans ma famille, nous avons toujours *détesté* les chats : ces créatures viles, basses et vulgaires. Je ne veux plus en entendre parler !

– C'est promis ! dit Alice, pressée de changer de sujet de conversation. Aimes-tu... aimes-tu les chiens ? » Comme la Souris ne répondait pas, Alice poursuivit avec empressement : « Il y a un petit chien si mignon près de chez nous que j'aimerais te le montrer. C'est un petit fox-terrier, aux yeux brillants, vois-tu, avec, oh ! de longs poils bruns bouclés. Il rapporte tout ce que tu lui lances, il fait le beau pour réclamer son dîner, et toutes sortes de tours dont j'ai oublié la moitié. Il appartient à un fermier qui dit qu'il lui est très utile, qu'il vaut bien une centaine de livres ! Il dit qu'il tue tous les rats et – oh, mon Dieu ! s'écria Alice d'un ton chagrin, j'ai bien peur de l'avoir à nouveau offensée ! » Car la Souris s'éloignait en nageant de toutes ses forces, et en soulevant de véritables vagues sur son

« O Souris, sais-tu comment on peut sortir de cette mare ?
Je suis si fatiguée de nager, ô Souris ! »

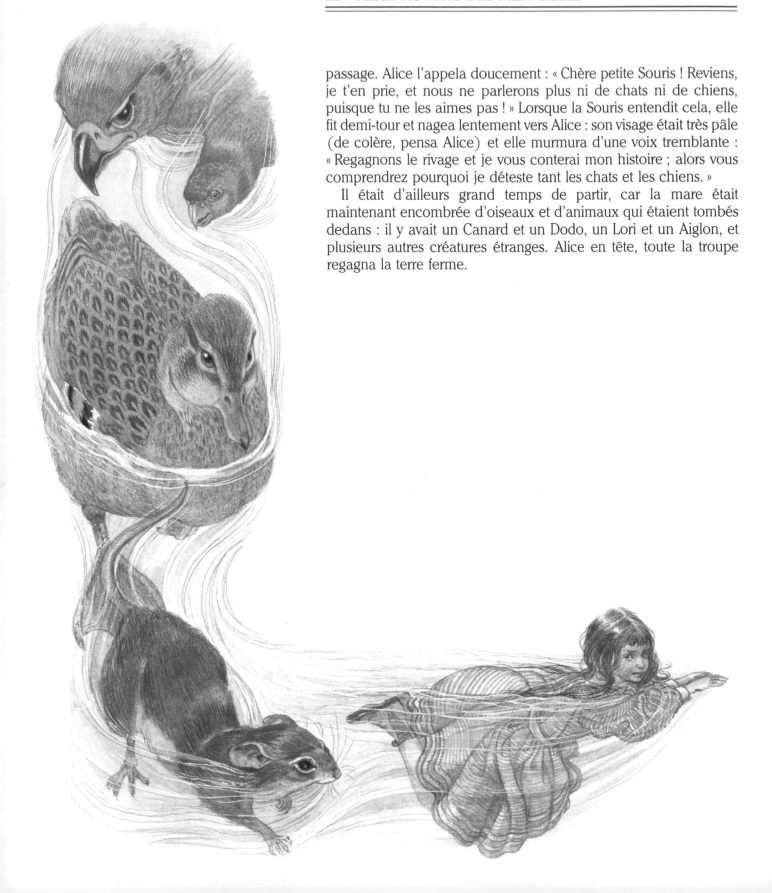

passage. Alice l'appela doucement : « Chère petite Souris ! Reviens, je t'en prie, et nous ne parlerons plus ni de chats ni de chiens, puisque tu ne les aimes pas ! » Lorsque la Souris entendit cela, elle fit demi-tour et nagea lentement vers Alice : son visage était très pâle (de colère, pensa Alice) et elle murmura d'une voix tremblante : « Regagnons le rivage et je vous conterai mon histoire ; alors vous comprendrez pourquoi je déteste tant les chats et les chiens. »

Il était d'ailleurs grand temps de partir, car la mare était maintenant encombrée d'oiseaux et d'animaux qui étaient tombés dedans : il y avait un Canard et un Dodo, un Lori et un Aiglon, et plusieurs autres créatures étranges. Alice en tête, toute la troupe regagna la terre ferme.

CHAPITRE 3

Une course au caucus et une longue histoire

A la vérité, ce fut une assemblée bien étrange qui se réunit sur le rivage : les oiseaux avec leurs plumes mouillées, les animaux avec leur fourrure collée au corps, tous trempés, furieux et mal à l'aise.

La première question fut, bien entendu, de savoir comment se sécher : ils se consultèrent à ce propos et, au bout de quelques minutes, Alice sembla trouver tout naturel de bavarder familièrement avec ses nouveaux amis, comme si elle les connaissait depuis toujours. Elle eut même une assez longue discussion avec le Lori, qui finit par bouder et déclarer : « Je suis plus vieux que vous, donc j'en sais forcément plus que vous ! » Ce qu'Alice ne voulait pas admettre sans connaître son âge, et comme le Lori refusait obstiné-ment de le lui révéler, la discussion tourna court.

Finalement, la Souris, qui semblait avoir quelque autorité sur les autres animaux, ordonna : « Asseyez-vous, tous, et écoutez-moi ! J'aurai vite fait de vous sécher ! » Tous s'assirent immédiatement en formant un large cercle autour de la Souris. Alice avait les yeux fixés sur elle, d'un air inquiet, car elle sentait qu'elle allait attraper un mauvais rhume si elle ne se séchait pas bien vite.

« Hum ! fit la Souris d'un air important. Etes-vous prêts ? Que je vous raconte ce que je connais de plus séchant ! Silence, s'il vous plaît ! Guillaume le Conquérant, dont la cause était soutenue par le pape, reçut bientôt la soumission des Anglais, qui cherchaient un chef, et qui s'étaient habitués à l'usurpation et à la conquête. Edwin et Morcar, comtes de Mercie et de Northumbrie...

— Brrr ! fit le Lori en frissonnant.

— Je vous demande pardon ! dit la Souris, très poliment mais en fronçant les sourcils. Vous avez dit quelque chose ?

— Moi, non ! répondit précipitamment le Lori.

— J'avais cru vous entendre, dit la Souris. Je continue. Edwin et Morcar, les comtes de Mercie et de Northumbrie, prirent son parti ; et même Stigand, l'archevêque patriote de Canterbury, trouva cela opportun...

— Trouva *quoi* ? demanda le Canard.

— Trouva *cela*, répondit la Souris d'un ton agacé. Naturellement, vous savez ce que "cela" veut dire.

— Je sais assez bien ce que "cela" signifie quand c'est moi qui trouve une chose, dit le Canard : c'est généralement une grenouille ou un ver. La question est de savoir ce que trouva l'archevêque. »

Préférant éluder cette question, la Souris reprit fébrilement : « ... trouva cela opportun d'aller avec Edgar Atheling à la rencontre de Guillaume et de lui offrir la couronne. Tout d'abord, Guillaume se conduisit avec modération. Mais l'insolence des Normands... Comment vous sentez-vous, maintenant, ma chère ? demanda la Souris en se tournant vers Alice.

— Plus mouillée que jamais, dit Alice d'un ton mélancolique. Cette histoire n'a pas l'air de me sécher du tout.

— Dans ce cas, dit le Dodo d'un air solennel, en se redressant, je propose l'ajournement de l'assemblée et l'adoption de mesures plus énergiques...

— Exprimez-vous plus clairement ! intervint l'Aiglon. Je ne comprends rien à tous ces mots grandiloquents et, qui plus est, je ne suis pas sûr que vous les compreniez vous-même ! » Et l'Aiglon baissa la tête pour dissimuler un sourire ; quelques oiseaux ricanèrent.

« Ce que je voulais dire, reprit le Dodo d'un ton offensé, c'est que le meilleur moyen pour nous sécher serait une course au caucus.

– Qu'est-ce qu'une course au caucus ? » demanda Alice. Non qu'elle tînt particulièrement à le savoir, mais le Dodo s'était interrompu comme s'il pensait que *quelqu'un* devait parler, et personne ne semblait disposé à le faire.

« Eh bien, répondit le Dodo, la meilleure façon d'expliquer en quoi cela consiste, c'est de la faire. » (Et comme vous pourriez avoir envie d'essayer vous-même un jour d'hiver, je vais vous dire comment s'y prit le Dodo.)

Tout d'abord, il délimita une piste de course, plus ou moins ronde (« La forme exacte importe peu », dit-il), puis toute la troupe s'éparpilla le long de la piste. Il n'y eut pas de « Un, deux, trois, partez », et tous les participants se mirent à courir au gré de leur fantaisie, et à s'arrêter de même, de sorte qu'il n'était pas facile de savoir quand la course était terminée. Cependant, quand ils eurent couru une bonne demi-heure, et qu'ils furent à nouveau complètement secs, le Dodo s'écria brusquement : « La course est finie ! » et ils s'assemblèrent autour de lui, tout essoufflés, en demandant : « Mais qui a gagné ? » Le Dodo ne pouvait pas répondre à cette question sans réfléchir, et il se tint un long moment le doigt appuyé sur le front (la position dans laquelle on voit habituellement Shakespeare, sur les tableaux) tandis que les autres attendaient en silence. Enfin le Dodo déclara : « *Tout le monde* a gagné, et tout le monde doit avoir un prix.

– Mais qui donnera les prix ? demandèrent-ils en chœur.

– Mais *elle*, naturellement », dit le Dodo, en désignant Alice du doigt ; aussitôt toute la petite troupe se rassembla autour d'elle en criant confusément : « Des prix ! Des prix ! »

Alice ne savait que faire. En désespoir de cause elle mit la main dans sa poche, et en tira une boîte de dragées (par chance, l'eau salée n'avait pas pénétré dedans) et les distribua à la ronde, en guise de prix. Il y en avait exactement une par personne.

« Mais elle aussi, il faut qu'elle ait un prix, dit la Souris.

– Bien sûr, approuva le Dodo avec gravité. Qu'avez-vous d'autre dans votre poche ? poursuivit-il en se tournant vers Alice.

– Rien qu'un dé à coudre, répondit tristement Alice.

– Donnez-le-moi », dit le Dodo.

Une fois de plus, ils se rassemblèrent autour d'elle, et le Dodo lui remit solennellement le dé à coudre en disant : « Nous vous prions de bien vouloir accepter cet élégant dé à coudre. » Quand il eut achevé ce bref discours, tous applaudirent.

Alice trouvait tous ces « chichis » parfaitement absurdes, mais ils avaient tous l'air si sérieux qu'elle n'osa pas rire ; et comme elle ne trouvait rien à répondre, elle se contenta de s'incliner et prit le dé aussi solennellement que possible. Il restait maintenant à manger les dragées, ce qui provoqua quelque brouhaha et désordre, car les grands oiseaux se plaignirent de ne pouvoir les savourer, et les petits s'étouffèrent, si bien qu'il fallut leur tapoter dans le dos. Cependant, tout finit par s'arranger, et ils s'assirent à nouveau en cercle, en priant la Souris de leur raconter une autre histoire.

« Tu m'as promis de me raconter ton histoire, dit Alice, et pourquoi tu détestes les CH... et les CH..., ajouta-t-elle dans un murmure, de peur de l'offenser à nouveau.

– Ma... *que*... c'est que la mienne est longue et triste, bredouilla la Souris en se tournant vers Alice et en soupirant.

– C'est une longue *queue*, en effet, dit Alice en regardant avec étonnement la queue de la Souris. Mais pourquoi dis-tu qu'elle est triste ? » Et tandis que la Souris parlait, ce problème continua d'accaparer si fort Alice que l'histoire prit cette forme dans son esprit :

« Fury dit à
une souris qu'il
rencontra dans la
maison :
"Allons tous
deux en
justice : que
je te fasse
un procès.
Allons, et
pas d'excuses :
il se trouve
que ce
matin je
n'ai rien
à faire."
La souris
répond au
roquet : "Un
tel procès,
sans juge ni
jury, mon
cher mon-
sieur, vous
n'y pensez
pas." "Je
serai le
juge et je
serai le
jury, dit
Fury, le
Rusé.
Toute l'affaire je jugerai, et
je te
con-
damne-
rai à
mort." »

« Vous ne m'écoutez pas ! dit sévèrement la Souris à Alice. A quoi pensez-vous ?

– Je te demande pardon, dit Alice très humblement. Tu en étais arrivée à la cinquième courbe, n'est-ce pas ?

– Quoi ! *Ne...* s'écria la Souris, furieuse.

– Un nœud, ou ça ? demanda Alice, toujours prête à se rendre utile, en regardant anxieusement autour d'elle. Oh, laisse-moi t'aider à le défaire !

– Pas question ! dit la Souris en se levant et en s'éloignant. Vous m'insultez à débiter de pareilles sornettes !

– Je ne voulais pas du tout t'offenser, plaida la pauvre Alice. Mais tu es si susceptible, vois-tu ! »

Pour toute réponse, la Souris se contenta de grogner.

« Reviens, je t'en prie, et finis ton histoire ! » cria Alice. Et tous les autres reprirent en chœur : « Oui, reviens ! » Mais la Souris se contenta de secouer la tête avec impatience, et de se sauver un peu plus vite.

« Quel dommage qu'elle n'ait pas voulu rester ! » soupira le Lori dès qu'elle eut disparu. Et une dame Crabe en profita pour dire à sa fille : « Que cela te serve de leçon, ma chérie : il ne faut jamais se mettre en colère ! » « Tais-toi, maman ! rétorqua la jeune personne avec insolence. Tu ferais perdre patience à une huître !

– Comme j'aimerais que Dinah soit ici ! dit Alice à haute voix, en ne s'adressant à personne en particulier. Elle aurait vite fait de nous la ramener !

– Et qui est Dinah, si je puis me permettre cette question ? » demanda le Lori.

Alice, qui était toujours prête à parler de son animal favori, répondit avec empressement :

« Dinah est notre chatte. Et elle n'a pas sa pareille pour attraper les souris, je t'assure ! Et oh, comme j'aimerais que tu la voies chasser les oiseaux ! Aussitôt vu, le petit oiseau est déjà croqué ! »

Ce discours provoqua une vive émotion parmi l'assemblée. Quelques oiseaux s'enfuirent aussitôt à tire-d'aile ; une vieille Pie commença à s'emmitoufler très soigneusement, en faisant remarquer : « Il faut vraiment que je rentre, l'air du soir est mauvais pour ma gorge ! » et un Canari appela ses enfants d'une voix tremblante : « Allons, mes chéris ! Il est grand temps d'aller au lit ! » Sous divers prétextes, tous les animaux s'en allèrent, et Alice se retrouva bientôt seule.

« Comme je regrette d'avoir parlé de Dinah ! se dit-elle d'un ton mélancolique. Personne n'a l'air de l'aimer ici et pourtant je suis

Ce discours provoqua une vive émotion parmi l'assemblée.

sûre que c'est la meilleure chatte du monde ! Oh, ma chère Dinah !
Je me demande si je te reverrai jamais ! »

La pauvre Alice fondit à nouveau en larmes, car elle se sentait très
seule et très triste. Au bout d'un petit moment, cependant, elle
entendit de nouveau un petit bruit de pas dans le lointain. Elle leva
vivement les yeux : elle espérait vaguement que la Souris avait
changé d'avis et qu'elle revenait finir son histoire.

CHAPITRE 4

La grande descente du petit Bill

C'était le Lapin Blanc qui revenait en trottinant et en jetant des regards inquiets autour de lui, comme s'il avait perdu quelque chose ; Alice l'entendit marmonner : « La Duchesse ! La Duchesse ! Oh mes pauvres petites pattes ! Oh ma fourrure et mes moustaches ! Elle va me faire exécuter, aussi sûr que les furets sont des furets ! Où ai-je bien pu les laisser tomber ? » Alice devina immédiatement qu'il cherchait l'éventail et la paire de gants en chevreau blancs, et comme elle avait bon cœur, elle se mit à les chercher aussi, mais ils n'étaient nulle part. Tout semblait avoir changé depuis sa baignade dans la mare : la grande salle, la table de verre et la petite porte avaient disparu.

Bientôt, le Lapin remarqua Alice en train de fureter çà et là, et lui cria d'une voix indignée : « Eh bien, Marie-Anne, que faites-vous ici ? Voulez-vous bien rentrer à la maison et me rapporter une paire de gants et un éventail ! Allons ! Dépêchons ! » Alice fut si effrayée qu'elle se précipita dans la direction qu'il avait indiquée, sans essayer de lui expliquer l'erreur qu'il avait commise.

« Il m'a prise pour sa servante, se dit-elle tout en courant. Comme il sera surpris quand il apprendra qui je suis ! Mais je ferais mieux de lui rapporter son éventail et ses gants – enfin, si je les trouve. » A ces mots, elle arriva devant une petite maison très coquette ; sur la porte, il y avait une étincelante plaque en cuivre sur laquelle était gravé le nom « J. LAPIN ». Elle entra sans frapper et grimpa les escaliers quatre à quatre ; elle était terrorisée à l'idée de rencontrer la vraie Marie-Anne et d'être chassée de la maison avant d'avoir retrouvé les gants et l'éventail.

« Comme cela semble bizarre, vraiment, se dit Alice, de faire les commissions pour un lapin ! Bientôt, c'est Dinah qui m'enverra faire les siennes ! » Et elle se mit à imaginer ce qui se passerait alors : « Mademoiselle Alice, venez ici tout de suite et préparez-vous pour la promenade ! – J'arrive dans une minute, nounou ! Mais je dois surveiller un trou de souris jusqu'au retour de Dinah, pour empêcher la souris d'en sortir. » « Seulement, je ne pense pas, poursuivit Alice, que l'on garderait Dinah à la maison, si elle se mettait à donner des ordres à tout le monde comme ça ! »

A ce moment, elle pénétra dans une petite chambre bien rangée et, devant le fenêtre, elle aperçut une table sur laquelle étaient posés (comme elle l'avait espéré) un éventail et deux ou trois paires de gants en chevreau blancs : elle prit l'éventail et une paire de gants, et allait quitter la pièce quand son regard tomba sur une petite bouteille posée près du miroir. Cette fois, il n'y avait pas d'étiquette avec les mots « BOIS-MOI » écrits dessus ; pourtant, elle la déboucha et la porta à ses lèvres. « *Quelque chose* d'intéressant se produit inévitablement, se dit-elle, quand je mange ou je bois quelque chose : voyons un peu ce que cette bouteille me réserve. J'espère qu'elle me fera à nouveau grandir, car j'en ai vraiment assez d'être aussi minuscule ! »

C'est exactement ce qui se produisit, et beaucoup plus vite qu'elle ne s'y attendait : elle avait à peine avalé la moitié de la bouteille que sa tête heurtait le plafond et elle dut se baisser pour ne pas avoir le cou brisé. Elle reposa prestement la bouteille, en se disant : « Ça suffit comme ça ! J'espère que je ne grandirai plus, car je ne peux déjà plus passer par la porte. Jamais je n'aurais dû boire tout ça ! »

Hélas ! Il était trop tard pour avoir des regrets ! Elle continuait de grandir, de grandir tant et tant que bientôt elle dut s'agenouiller sur le plancher. Une minute plus tard, elle n'avait même plus assez de place pour rester dans cette position et elle essaya de se coucher, un coude contre la porte, et l'autre bras replié autour de la tête. Puis, comme elle continuait de grandir, elle passa un bras par la fenêtre, glissa un pied dans la cheminée, et se dit : « Maintenant, quoi qu'il arrive, je ne peux rien faire d'autre. Que vais-je devenir ? »

Par bonheur pour Alice, la potion magique avait à présent produit tout son effet et elle cessa de grandir. Néanmoins, sa position était inconfortable et comme elle n'avait apparemment aucune chance de pouvoir ressortir de la pièce, il n'est guère surprenant qu'elle se sentît malheureuse.

« C'était autrement plus agréable à la maison, pensa la pauvre Alice ; je n'étais pas toujours en train de grandir ou de rapetisser, et il n'y avait pas de souris et de lapins pour me donner des ordres. Je regrette presque d'être descendue dans ce terrier... et pourtant... et pourtant, le genre de vie que je mène ici, voyez-vous, est vraiment curieux ! Je me demande ce qu'il a bien pu m'arriver ! Quand je lisais des contes de fées, je m'imaginais que ce genre de mésaventures n'arrivait jamais, et voilà que je suis en train d'en vivre une ! On devrait écrire un livre sur moi, ça c'est sûr ! et quand je serai grande, j'en écrirai un... mais je suis déjà grande », ajouta-t-elle d'une voix triste : « En tout cas, il n'y a plus de place *ici* pour grandir encore. »

« Mais alors, pensa Alice, jamais je ne serai plus âgée que je le suis maintenant ? Dans un sens, c'est plutôt réconfortant de n'être jamais une vieille dame. Mais alors, j'aurai toujours des leçons à apprendre ! Oh ! je n'aimerais vraiment pas ça ! »

« Que tu es bête, ma pauvre Alice ! se répondit-elle. Comment pourrais-tu apprendre des leçons, ici ? Il y a tout juste assez de place pour *toi*, où mettrais-tu tes livres de classe ? »

Elle poursuivait cette conversation depuis un bon moment, en faisant les questions et les réponses, quand elle entendit une voix dehors, et s'arrêta de penser pour écouter.

« Marie-Anne ! Marie-Anne ! criait la voix. Apportez-moi mes gants immédiatement ! » Puis elle entendit des petits pas précipités dans l'escalier. Alice comprit que c'était le Lapin qui venait la chercher, et se mit à trembler si fort que la maison en fut toute secouée ; elle avait oublié qu'elle était maintenant mille fois plus

grande que le Lapin, et qu'elle n'avait aucune raison d'avoir peur de lui.

Arrivé devant la porte, le Lapin essaya de l'ouvrir. Mais comme la porte s'ouvrait de l'intérieur, et qu'Alice la bloquait avec son coude, il ne réussit pas à l'ébranler. Alice l'entendit marmonner : « Je vais faire le tour, et je passerai par la fenêtre. »

« Ça m'étonnerait ! » pensa Alice. Elle attendit un petit moment, puis lorsqu'il lui sembla entendre le Lapin arriver sous la fenêtre, elle allongea brusquement le bras et le balança dans l'air comme pour attraper quelque chose. Elle n'attrapa rien du tout, mais elle entendit un cri perçant, et le bruit d'une chute, puis un fracas de verre brisé, d'où elle en conclut que le Lapin avait dû tomber sur un châssis à concombres, ou quelque chose de ce genre.

Puis une voix furieuse se fit entendre – celle du Lapin : « Pat ! Pat ! Où es-tu ! » et une autre qu'Alice n'avait jamais entendue : « Je suis là, pour sûr ! en train de déterrer des pommes, votre honneur !

– Déterrer des pommes, vraiment ! s'écria le Lapin, furieux. Viens plutôt m'aider à sortir de là, et vite ! »

(Nouveau fracas de verre brisé).

« Maintenant, Pat, dis-moi, que vois-tu à la fenêtre ?

– Pour sûr, c'est un bras, votre honneur ! (il prononça brrrâs.)

– Un bras, imbécile ! A-t-on jamais vu un bras de cette taille ? Ce machin bouche entièrement la fenêtre.

– Pour sûr, votre honneur, qu'il la bouche : n'empêche que c'est un bras.

– De toute façon, il n'a rien à faire là : va l'enlever ! »

Il y eut ensuite un long silence, troublé parfois de chuchotements indistincts : « Pour sûr que j'aime pas ça, votre honneur, pas du tout, mais du tout ! » « Fais ce qu'on te dit, trouillard ! » Finalement, Alice allongea à nouveau le bras et brassa l'air violemment. Cette fois, elle entendit deux cris perçants, et un fracas plus impressionnant de verre brisé. « Combien y a-t-il donc de châssis à concombres ? pensa Alice. Et que vont-ils faire maintenant ? Je ne demande pas mieux qu'ils me fassent sortir de cette fenêtre ! Je ne tiens pas du tout à rester ici plus longtemps ! »

Après un petit moment de silence, Alice entendit un grondement de roues de charrette, et un brouhaha de voix : elle distingua quelques phrases : « Où est l'autre échelle ? – Je ne devais en apporter qu'une. C'est Bill qui a l'autre. – Bill ! Va la chercher, mon garçon ! – Posez-les dans ce coin. – Non, il faut d'abord les mettre bout à bout. – Elles ne montent pas assez haut. – Oh ! Ça suffira ? Ne nous montrons pas trop difficiles. – Ici, Bill ! attrape cette corde.

– Le toit tiendra sous son poids ? – Attention ! une ardoise s'est détachée ! – Elle tombe ! – Gare aux crânes ! (Un grand fracas.) – Qui a fait ça ? – C'est Bill, je parie. – Qui descend dans la cheminée ? Pas *moi*, en tout cas ! Tu n'as qu'à y aller, *toi* ! – Pas question ! C'est à Bill d'y aller. – Tu as entendu, Bill ? Le maître dit que tu dois descendre dans la cheminée ! »

« Ainsi, c'est Bill qui doit descendre dans la cheminée, se dit Alice. Ma parole, toutes les corvées sont réservées à ce malheureux. Je n'aimerais pas être à sa place. Cette cheminée n'est pas bien large ; mais je pense que je pourrais quand même envoyer un petit coup de pied ! »

Elle ramena son pied vers le bas autant qu'elle put, et attendit ; elle entendit bientôt un petit animal (elle n'arrivait pas à deviner à quelle espèce il appartenait) gratter et s'agripper aux parois de la cheminée juste au-dessus d'elle, et se disant alors « C'est Bill ! » elle décocha un violent coup de pied, et attendit ce qui allait se passer.

Ce qu'elle entendit d'abord, ce furent plusieurs voix s'exclamer en chœur : « Voilà Bill ! » ; puis la voix du Lapin : « Attrapez-le, près de la haie ! » puis un silence, suivi d'un nouveau brouhaha de voix : « Soutenez-lui la tête. – Un peu de cognac maintenant. – Ne le secouez pas. – Comment vas-tu, vieux bougre ! Que s'est-il passé ? Raconte-nous ! »

Finalement, on entendit une petite voix faible et couinante (« C'est Bill », pensa Alice) : « A vrai dire, je ne sais pas... Ça suffit, merci ; je me sens mieux, maintenant... Mais je me sens encore trop retourné pour vous raconter... tout ce que je sais c'est qu'un machin a foncé sur moi comme un diable sortant de sa boîte, et que je suis monté dans le ciel comme une fusée !

– Ça tu peux le dire, mon vieux, s'écrièrent les autres.

– Il faut brûler la maison ! dit la voix du Lapin.

– Si vous faites ça, je lance Dinah à vos trousses ! » s'écria Alice de toutes ses forces.

Il y eut immédiatement un silence de mort. « Je me demande ce qu'ils vont encore inventer ! se dit Alice. S'ils avaient deux sous de jugeotte, ils feraient sauter le toit. » Au bout d'une minute, ils recommencèrent à s'agiter, et Alice entendit le Lapin qui disait : « Pour commencer, une brouettée suffira. »

« Une brouettée de *quoi* ? » se demanda Alice. Mais elle n'eut pas à se le demander longtemps, car un instant plus tard une pluie de petits cailloux s'abattit sur la fenêtre, et quelques-uns la touchèrent au visage. « Je ne vais pas supporter cela plus longtemps », se

Ce qu'elle entendit d'abord, ce furent plusieurs voix s'exclamer en chœur :
« Voilà Bill ! »

dit-elle, et elle hurla : « Vous feriez mieux de ne pas recommencer ! » ce qui provoqua un autre silence de mort.

Alice remarqua alors, non sans surprise, que tous les cailloux s'étaient transformés en gâteaux en tombant sur le sol, et il lui vint une idée géniale : « Si je mange un de ces gâteaux, se dit-elle, cela modifiera sûrement ma taille ; et comme je ne peux plus grandir, il y a toutes les chances pour qu'il me fasse rapetisser. »

Sur ce, elle avala un des gâteaux et fut ravie de constater qu'elle rapetissait déjà. Dès qu'elle fut assez petite pour passer par la porte, elle sortit de la maison en courant, et se retrouva nez à nez avec une foule de petits animaux et d'oiseaux. Bill, le malheureux petit lézard, se tenait au milieu de cette curieuse réception, entre deux cochons d'Inde, qui lui faisaient boire le contenu d'une bouteille. Ils se précipitèrent sur Alice lorsqu'elle apparut ; mais elle s'enfuit à toutes jambes, et se trouva bientôt en sécurité dans une forêt épaisse. « La première chose que je dois faire », se dit Alice, en errant dans la forêt, « c'est de retrouver ma taille normale ; la seconde, c'est de retrouver mon chemin jusqu'à ce merveilleux jardin. Je pense que c'est le meilleur plan. »

C'était apparemment un plan excellent, en effet, à la fois simple et précis ; la seule difficulté c'est que la pauvre Alice ne savait pas du tout comment le mettre à exécution ; et tandis qu'elle regardait autour d'elle, avec inquiétude, un petit aboiement juste au-dessus de sa tête lui fit prestement lever les yeux.

Un énorme petit chien la regardait de ses grands yeux, et tendait timidement la patte pour la toucher. « Pauvre petite bête ! » dit Alice d'une voix cajoleuse. Puis elle essaya de siffler pour l'appeler. Mais, en même temps, elle était épouvantée à l'idée que l'animal puisse être affamé, et qu'il s'empresse de la dévorer malgré ses cajoleries.

Sans réfléchir, elle ramassa un petit morceau de bois, et le tendit au chiot ; il sauta en l'air en poussant un jappement de plaisir, et se précipita sur le bâton qu'il se mit à mordiller. Alice se propulsa derrière un chardon géant pour éviter d'être renversée. Dès qu'elle apparut de l'autre côté, le chien se jeta à nouveau sur le bâton, et il était si pressé de s'en emparer qu'il fit une culbute. Alice, qui avait l'impression de jouer avec un cheval de labour, et s'attendait à tout moment à être piétinée, se mit à courir autour du chardon. Aussitôt, le petit chien entreprit une série de courtes attaques contre le bâton, en aboyant d'une voix rauque. Puis il finit par s'arrêter, et s'assit, essoufflé, la langue pendante, ses grands yeux à demi fermés.

Alice estima que c'était le moment de prendre la fuite. Elle se mit

à courir à perdre haleine jusqu'à ce que l'aboiement du petit chien résonnât faiblement dans le lointain.

« C'était pourtant un bien mignon petit chien ! » se dit Alice, tout en s'appuyant sur un bouton d'or pour se reposer, et en s'éventant avec une de ses feuilles. « J'aurais bien aimé lui apprendre des tours, si... si seulement je n'avais pas été trop petite pour ça ! Oh, mon Dieu ! j'avais presque oublié que je dois encore grandir ! Voyons, comment vais-je m'y prendre ? Je suppose que je devrais manger ou boire quelque chose, mais *quoi* ?, c'est là tout le problème ! »

Tout le problème était de savoir *quoi* ?, en effet. Alice regarda autour d'elle les fleurs et les brins d'herbe, mais elle ne vit rien qui ressemblât à ce qu'elle devait manger ou boire, étant donné les circonstances. Il y avait un gros champignon près d'elle, à peu près de sa taille ; et lorsqu'elle l'eut examiné, dessous, puis de chaque côté, puis derrière, elle se dit qu'elle pourrait aussi regarder ce qu'il y avait dessus.

Elle se dressa sur la pointe des pieds, et jeta un coup d'œil sur le dessus du champignon. Ses yeux rencontrèrent ceux d'une grosse chenille bleue assise, les bras croisés, et fumant tranquillement un long narguilé sans se préoccuper le moins du monde de ce qui se passait autour d'elle.

CHAPITRE 5

Conseils
d'une chenille

La Chenille et Alice s'observèrent un long moment en silence. Finalement, la Chenille retira le narguilé de sa bouche, et s'adressant à Alice d'une voix languissante et endormie :

« Qui êtes-vous ? » demanda-t-elle.

Ce n'était pas un début de conversation très encourageant. Alice répondit d'une voix timide : « Je... je ne sais pas trop, madame, en cet instant – du moins, je sais qui j'*étais* quand je me suis levée ce matin, mais j'ai dû me transformer si souvent depuis.

– Que voulez-vous dire ? demanda sévèrement la Chenille. Expliquez-vous !

– Je crains de ne pas pouvoir m'expliquer, madame, répondit Alice, car, voyez-vous, je ne suis pas moi-même.

– Non, je ne vois pas ! dit la Chenille.

– J'ai peur de ne pas pouvoir m'expliquer plus clairement, poursuivit Alice très poliment, car moi-même je n'y comprends rien, et à changer si souvent de taille en une journée, mes idées sont toutes brouillées !

– Il n'y a vraiment pas de quoi !

– Sans doute ne vous en êtes-vous jamais rendu compte jusqu'à présent, dit Alice. Mais lorsque vous vous transformerez en chrysalide – cela vous arrivera un jour, vous verrez – puis en papillon, je suis sûre que vous trouverez cela bizarre !

– Certainement pas !

– Eh bien ! C'est sans doute que nous ne voyons pas les choses de la même façon, dit Alice. Tout ce que je sais, c'est que cela me paraîtrait vraiment bizarre, à *moi*.

– Vous ! dit la Chenille d'un ton méprisant. Qui êtes-*vous* ? »

Ce qui les ramenait au début de leur conversation. Alice était un peu agacée par les remarques si sèches de la Chenille, et se redressant de toute sa hauteur, elle déclara d'un ton très grave : « Je pense que c'est à vous d'abord de me dire qui vous êtes !

– Pourquoi ? » rétorqua la Chenille.

Encore une question embarrassante ! Et comme Alice ne trouvait quoi répondre, et comme la Chenille paraissait de fort méchante humeur, elle tourna les talons.

« Revenez ! cria la Chenille. J'ai quelque chose de très important à vous dire ! »

Voilà qui promettait, assurément ! Alice revint sur ses pas.

« Gardez votre calme, dit la Chenille.

– C'est tout ? demanda Alice, en s'efforçant de retenir sa colère.

– Non, répondit la Chenille. »

Et Alice, qui n'avait rien d'autre à faire, se dit qu'elle pouvait tout aussi bien attendre. Peut-être, après tout, entendrait-elle quelque chose d'intéressant. La Chenille exhala silencieusement quelques bouffées de fumée ; puis, finalement, décroisa les bras, abandonna son narguilé et dit : « Ainsi, vous trouvez que vous êtes changée ?

– J'en ai bien peur, madame, dit Alice. Je ne me souviens plus des choses que je savais... et je change de taille toutes les dix minutes !

– Vous ne vous souvenez pas de *quelles* choses ?

– Eh bien, j'ai essayé de dire « *Comme la petite abeille* », mais ce n'était pas ça du tout ! répondit Alice d'une voix particulièrement mélancolique.

– Récitez « *Vous êtes vieux, père Guillaume* », dit la Chenille.

Alice croisa les bras et commença :

« Vous êtes vieux, père Guillaume, dit le jeune homme,
Et vos cheveux sont devenus très blancs ;
Et pourtant vous restez planté sur la tête :
A votre âge, est-ce bien raisonnable, vraiment ? »

« Dans ma jeunesse, répondit père Guillaume à son fils,
J'avais peur que cela ne gâte mon cerveau ;
Mais, maintenant que je n'en ai plus, c'est sûr,
Quel plaisir de le faire encore et encore ! »

« Vous êtes vieux, dit le jeune, je vous l'ai dit,
Et gros, et gras, vous êtes devenu ;
Pourtant d'un saut périlleux en arrière,
Vous franchissez la porte, pourquoi, je vous prie ? »

« Dans ma jeunesse, dit le sage, en secouant sa tête grise,
J'entretenais la souplesse de mes muscles
Grâce à cet onguent – un shilling la boîte –
Aussi, permets-moi de t'en vendre deux. »

« Vous êtes vieux, dit le jeune, et vos dents
Ne sont plus bonnes qu'à broyer du beurre ;
Pourtant vous avez fini l'oie, et les os et le bec –
Comment avez-vous fait, dites-moi ? »

« Dans ma jeunesse, dit le vieux, j'ai étudié le droit
Et chaque cas, nous discutions ma mie et moi,
Ce qui donna à ma mâchoire cette force musculaire
Qui me durera bien toute ma vie. »

« Vous êtes vieux, dit le jeune, et on pourrait croire
Que de vos yeux vous ne voyez plus très clair ;
Et pourtant vous tenez une aiguille en équilibre
Sur votre nez – cette adresse qui vous l'a donné ? »

« J'ai déjà répondu à trois questions, ça suffit,
Dit le père, pour qui te prends-tu, fiston ?
Tu t'imagines que je vais encore écouter tes sornettes ?
File ! avant que je te botte l'arrière-train ! »

« Ce n'est pas ça, dit la Chenille.

— Pas tout à fait, j'en ai peur, dit Alice timidement. Quelques mots ont été changés.

— C'est faux du début à la fin, vous voulez dire ! » répliqua la Chenille d'un ton catégorique.

Suivirent quelques minutes de silence que rompit finalement la Chenille :

« Quelle taille aimeriez-vous avoir ?

— Oh, pour la taille, je ne suis pas difficile, répondit hâtivement Alice. Ce qui ne me plaît pas, c'est d'en changer si souvent, voyez-vous.

— Non, je ne vois pas. »

Alice se tut ; de sa vie on ne l'avait autant contredite et elle commençait à perdre patience.

« Etes-vous contente de votre présente taille ? demanda la Chenille.

— A dire vrai, je préférerais être un peu plus grande, madame, si ça ne vous fait rien, dit Alice. Six centimètres, ce n'est vraiment pas beaucoup !

— Mais c'est une taille parfaite ! s'écria la Chenille, furieuse, en se redressant de toute sa hauteur (elle mesurait exactement six centimètres).

— C'est que je n'ai pas l'habitude d'être si petite ! » plaida Alice d'un ton pitoyable. Et elle pensa : « Comme j'aimerais que toutes ces créatures soient moins susceptibles ! »

— Vous vous y ferez à la longue », dit la Chenille. Puis elle porta le narguilé à sa bouche et se remit à fumer.

Cette fois, Alice attendit patiemment qu'elle reprît leur conversation. Au bout d'une minute ou deux, la Chenille retira le narguilé de sa bouche, bâilla une fois ou deux, et se secoua. Puis elle descendit du champignon, glissa dans l'herbe, et marmonna ces quelques mots : « Un côté vous fera grandir, et l'autre vous fera rapetisser. »

« Un côté de *quoi* ? L'autre côté de *quoi* ? » se demanda Alice.

« Du champignon », dit la Chenille, comme si elle avait deviné les pensées de la petite fille. Puis elle disparut.

Alice contempla pensivement le champignon pendant une bonne minute, en essayant de distinguer les deux côtés. Mais comme il était parfaitement rond, le problème lui parut insoluble. Finalement, elle étendit ses deux bras autour, aussi loin qu'elle put, et en cassa un petit morceau de chaque main.

« Et maintenant lequel est le bon ? » se dit-elle, en grignotant le

petit morceau qu'elle tenait dans la main droite ; aussitôt, elle ressentit un choc violent, sous le menton : il venait de frapper son pied !

Epouvantée par ce changement soudain, elle comprit qu'il n'y avait pas une minute à perdre car elle diminuait à vue d'œil. Elle se mit donc à l'œuvre pour manger un peu de l'autre morceau. Son menton appuyait si étroitement contre son pied qu'elle pouvait à peine ouvrir la bouche ; mais elle finit par y arriver et réussit à grignoter un bout du morceau qu'elle tenait dans la main gauche.

*   *   *   *   *

« Ouf ! Ma tête est enfin dégagée ! » s'écria-t-elle avec un ravissement qui se transforma en terreur lorsqu'elle s'aperçut que ses épaules avaient disparu : tout ce qu'elle pouvait voir, quand elle baissait les yeux, c'était un cou immense qui semblait jaillir, comme une tige, d'un océan de feuilles vertes qui s'étendait très loin, en-dessous d'elle.

« Mais qu'est-ce que c'est que toute cette verdure ? se dit Alice. Et où sont passées mes épaules ? Et oh, mes pauvres mains, comment se fait-il que je ne puisse pas vous voir ? » Elle les agitait tout en parlant, mais sans autre résultat que de secouer légèrement le feuillage, tout en bas.

Comme elle n'avait apparemment aucune chance de pouvoir atteindre sa tête avec ses mains, elle essaya d'atteindre ses mains avec sa tête, et fut enchantée de découvrir que son cou pouvait se tordre facilement dans toutes les directions, comme un serpent. Elle venait de réussir à le courber en un gracieux zigzag et s'apprêtait à plonger au milieu des feuilles (qui n'étaient autres que la cime des arbres sous lesquels elle s'était promenée) lorsqu'un sifflement aigu la fit reculer en toute hâte : un énorme Pigeon s'était jeté contre son visage et la frappait violemment de ses ailes.

« Serpent ! hurla le Pigeon.

– Je ne suis *pas* un serpent ! rétorqua Alice, indignée. Laissez-moi tranquille !

– Serpent, je le répète ! » reprit le Pigeon d'une voix moins assurée, et il ajouta dans une sorte de sanglot : « J'ai tout essayé, mais rien ne semble convenir !

– Je ne vois pas du tout de quoi vous voulez parler, dit Alice.

– J'ai essayé les racines des arbres, j'ai essayé les talus et j'ai

essayé les haies, poursuivit le Pigeon sans l'écouter. Mais ces serpents ! Impossible de les contenter ! »

Alice était de plus en plus abasourdie, mais elle pensa qu'il était inutile d'intervenir avant que le Pigeon eut fini de parler.

« Comme si je n'avais pas assez de mal à couver mes œufs, dit le Pigeon. Il faut encore que je monte la garde nuit et jour à cause de ces damnés serpents ! Je n'ai pas fermé l'œil depuis trois semaines !

— Je suis navrée que vous ayez tant d'ennuis, dit Alice qui commençait à comprendre.

— Et juste au moment où j'avais choisi l'arbre le plus haut de la forêt, reprit le Pigeon d'une voix suraiguë, juste au moment où je pensais m'être enfin débarrassé d'eux, voilà qu'ils tombent du ciel en se tortillant ! Arrière ! Serpent !

— Mais je vous répète que je ne suis pas un serpent, dit Alice. Je suis une... je suis une...

— Eh bien ! Qu'êtes-vous donc ? hurla le Pigeon. Je vois bien que vous essayez d'inventer quelque chose !

— Je... Je suis une petite fille, dit Alice sans beaucoup d'assurance, car elle se souvenait de tous les changements qu'elle avait subis ce jour-là.

— Tout à fait vraisemblable, vraiment ! s'écria le Pigeon avec le plus profond mépris. J'ai vu pas mal de petites filles dans ma vie, mais *une* avec un cou pareil, ça jamais ! Non et non ! Vous êtes un serpent. Inutile de nier ! Je suppose que vous allez me raconter maintenant que vous n'avez jamais mangé d'œufs !

— J'en ai mangé, bien sûr, répondit Alice, qui était une petite fille très franche ; mais les petites filles mangent des œufs tout comme les serpents, voyez-vous.

— Je n'en crois rien, dit le Pigeon, ou bien alors, c'est que les petites filles sont une sorte de serpents ! »

C'était une idée si nouvelle pour Alice qu'elle resta silencieuse pendant une minute ou deux, ce qui donna au Pigeon l'occasion d'ajouter : « Je sais bien que vous cherchez des œufs ; alors, qu'est-ce que ça peut me faire que vous soyez une petite fille ou un serpent ?

— Cela me fait beaucoup à *moi*, rétorqua vivement Alice. Mais il se trouve que je ne cherche pas d'œufs, en ce moment ; et si j'en cherchais, je ne voudrais pas des vôtres : je n'aime pas les œufs crus !

— Eh bien, allez-vous-en, alors ! » marmonna le Pigeon d'un ton maussade, en regagnant son nid. Alice eut toutes les peines du monde à se faufiler au milieu des arbres, car son cou s'emmêlait

« Mais je vous répète que je ne suis pas un serpent », dit Alice.

aux branches, et à tout instant elle devait s'arrêter pour le dégager. Au bout d'un moment, elle se souvint qu'elle tenait toujours dans ses mains les morceaux de champignon et elle se mit prudemment à l'ouvrage, grignotant tantôt de l'un tantôt de l'autre, grandissant parfois et parfois rapetissant, jusqu'à ce qu'elle ait réussi à retrouver sa taille normale.

Il y avait si longtemps que pareille chose ne lui était arrivé qu'elle se sentit d'abord toute bizarre ; mais elle s'y habitua bien vite et, comme à son habitude, commença à se parler : « Ouf ! La moitié de mon plan est réalisée ! Comme tous ces changements sont déroutants ! Je ne sais jamais ce que je vais devenir, d'une minute à l'autre ! Toutefois, j'ai retrouvé ma taille normale : il me reste maintenant à pénétrer dans ce merveilleux jardin – mais comment faire, je me le demande ? » Sur ces mots, elle arriva brusquement dans une clairière où se trouvait une petite maison d'une hauteur d'un mètre environ. « Quels que soient les habitants de cette maison, se dit Alice, je ne peux pas me présenter à eux avec *cette* taille, ils seraient effrayés ! » Aussi se mit-elle à grignoter le petit morceau de champignon qu'elle tenait dans la main droite et attendit-elle que sa taille ne dépasse pas vingt centimètres pour s'approcher de la maison.

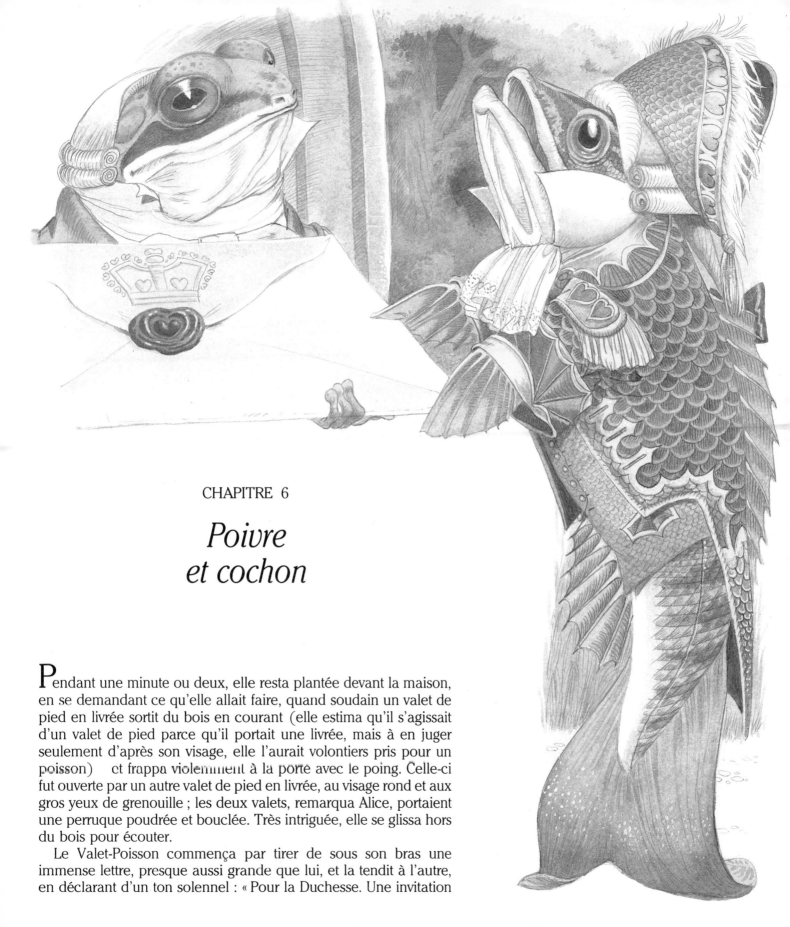

CHAPITRE 6

*Poivre
et cochon*

Pendant une minute ou deux, elle resta plantée devant la maison, en se demandant ce qu'elle allait faire, quand soudain un valet de pied en livrée sortit du bois en courant (elle estima qu'il s'agissait d'un valet de pied parce qu'il portait une livrée, mais à en juger seulement d'après son visage, elle l'aurait volontiers pris pour un poisson) et frappa violemment à la porte avec le poing. Celle-ci fut ouverte par un autre valet de pied en livrée, au visage rond et aux gros yeux de grenouille ; les deux valets, remarqua Alice, portaient une perruque poudrée et bouclée. Très intriguée, elle se glissa hors du bois pour écouter.

Le Valet-Poisson commença par tirer de sous son bras une immense lettre, presque aussi grande que lui, et la tendit à l'autre, en déclarant d'un ton solennel : « Pour la Duchesse. Une invitation

de la Reine pour jouer au croquet. » Le Valet-Grenouille répéta, du même ton solennel, mais en modifiant légèrement l'ordre des mots : « De la part de la Reine. Une invitation pour jouer au croquet, à la Duchesse. »

Puis tous deux s'inclinèrent très bas, et leurs perruques s'emmêlèrent.

A ce spectacle, Alice se mit à rire si fort qu'elle dut regagner le bois, de crainte d'être entendue ; et quand elle risqua un œil, le Valet-Poisson avait disparu et l'autre était assis par terre, près de la porte, fixant le ciel d'un air stupide.

Alice s'approcha timidement de la porte et frappa.

« C'est inutile de frapper, dit le Valet, et cela pour deux raisons. D'abord, parce que je suis du même côté de la porte que vous ; ensuite, parce qu'ils font un tel tapage à l'intérieur que personne ne peut vous entendre. » Certes, il y avait dans cette maison un vacarme tout à fait extraordinaire : hurlements et éternuements étaient interrompus à tout instant par un terrible fracas, comme si on brisait un plat ou une marmite.

« S'il vous plaît, demanda Alice, comment puis-je entrer ?

– Frapper à la porte ne serait pas complètement dénué de sens, poursuivit le Valet sans l'écouter, si la porte se trouvait entre nous. Par exemple, si vous étiez à l'*intérieur,* vous pourriez frapper et je pourrais vous laisser sortir, voyez-vous. » Tout en parlant, il continuait à fixer le ciel, ce qu'Alice trouva parfaitement impoli. « Mais peut-être ne peut-il faire autrement, se dit-elle. Ses yeux sont placés si près du sommet de sa tête. En tout cas, il pourrait au moins répondre à mes questions – Comment puis-je entrer ? répéta-t-elle à haute voix.

– Je resterai assis ici jusqu'à demain... », dit le Valet.

A ce moment, la porte s'ouvrit et une grande assiette fendit l'air en direction de la grosse tête du Valet, lui rasa le nez et alla se briser contre un arbre derrière lui.

« ... ou après-demain, peut-être, poursuivit le Valet du même ton, comme si rien ne s'était passé.

– Que faut-il que je fasse pour entrer ? répéta Alice, en haussant la voix.

– Faut-il vraiment que vous entriez ? répliqua le Valet. Toute la question est là, à mon avis. »

C'était vrai, assurément, mais Alice n'aimait pas qu'on lui fasse la leçon. « C'est vraiment insupportable, murmura-t-elle, cette façon qu'ils ont tous de raisonner ! Il y a de quoi devenir folle ! »

Le Valet estima que c'était le moment de répéter sa remarque, en y ajoutant des variantes : «Je resterai assis ici, dit-il sans bouger, pendant des jours et des jours.

— Mais moi, qu'est-ce que je vais faire ? demanda Alice.

— Ce que vous voulez, dit le Valet, et il se mit à siffler.

— Oh, il n'y a vraiment rien à en tirer, se dit Alice, désespérée, il est complètement idiot ! »

Sur ce, Alice ouvrit la porte et entra. La porte donnait directement sur une gigantesque cuisine, enfumée d'un bout à l'autre : la Duchesse, assise sur un tabouret à trois pieds au milieu de la pièce, berçait un bébé ; et la cuisinière, penchée sur le feu, surveillait un énorme chaudron qui semblait rempli de soupe.

«Il y a sûrement trop de poivre dans cette soupe ! » se dit Alice en éternuant.

En tout cas, il y en avait trop dans l'*air*. Même la Duchesse éternuait de temps à autre ; quant au bébé, il éternuait et hurlait alternativement, sans s'arrêter. Les deux seules créatures de la cuisine qui n'éternuaient pas, étaient la cuisinière et un énorme chat, allongé devant la cheminée et qui souriait jusqu'aux oreilles.

«Voudriez-vous me dire, je vous prie », demanda Alice d'une voix timide, car elle n'était pas très sûre de se montrer très polie en parlant la première, «pourquoi votre chat sourit comme ça ?

— C'est un chat du Chester, répondit la Duchesse. Voilà pourquoi, Cochon ! »

Elle prononça ce dernier mot avec une violence si soudaine qu'Alice sursauta ; mais elle comprit bientôt que cette remarque s'adressait au bébé, et non à elle. Aussi, reprenant courage, elle poursuivit :

«Je ne savais pas que les chats du Chester souriaient tout le temps ; en fait, j'ignorais que les chats *pouvaient* sourire.

— Tous les chats peuvent sourire, rétorqua la Duchesse. Et la plupart le font.

— Je n'en connais aucun qui le fasse, dit Alice très poliment, ravie de voir la conversation si bien engagée.

— Vous ne savez pas grand-chose, c'est un fait », dit la Duchesse.

Alice n'aimait pas du tout le ton de cette remarque, et jugea qu'il valait mieux changer de sujet de conversation. Tandis qu'elle essayait d'en trouver un, la cuisinière retira le chaudron de soupe du feu, et se mit aussitôt en devoir de bombarder la Duchesse et le bébé avec tout ce qui lui tombait sous la main : d'abord les pincettes, puis les casseroles, les assiettes et les plats. La Duchesse paraissait ne rien remarquer, même lorsque des ustensiles la frappaient ; quant au bébé, il hurlait déjà si fort avant cette avalan-

che de vaisselle, qu'il était impossible de dire si les coups lui faisaient mal ou non.

« Oh, *je vous en prie,* faites attention ! Oh, juste sur son cher petit nez ! s'écria Alice en bondissant sur place, terrorisée, comme une casserole de dimension particulièrement imposante effleurait le visage du bébé, manquant de lui emporter le nez.

– Si chacun voulait bien s'occuper de ses affaires, grogna la Duchesse, d'une voix rauque, le monde tournerait autrement plus vite qu'il ne le fait !

– Ce qui ne serait pas sans inconvénient, dit Alice, tout heureuse de pouvoir faire un peu étalage de ses connaissances. Pensez à ce que deviendraient le jour et la nuit ! C'est que la terre tourne en vingt-quatre heures autour de son axe. C'est une *tâche...*

– En parlant de hache, dit la Duchesse, coupez-lui donc la tête ! »

Alice jeta un regard inquiet à la cuisinière, pour voir si elle avait l'intention d'obéir à la Duchesse ; mais la cuisinière était occupée à remuer la soupe et n'avait pas l'air d'écouter. Aussi Alice se hasarda à poursuivre : « Vingt-quatre heures, je crois ; à moins que ce ne soit douze ? Je...

– Vous m'assommez, à la fin ! s'écria la Duchesse. J'ai horreur des chiffres ! » Et sur ce, elle se remit à bercer le bébé, tout en lui chantant une sorte de berceuse et en le secouant violemment à la fin de chaque vers :

> *Parlez durement à votre bébé*
> *Battez-le quand il éternue*
> *Car s'il le fait, c'est pour vous embêter,*
> *S'il le fait, c'est pour vous agacer.*

CHŒUR
(auquel participèrent la cuisinière et le bébé)

Hou ! Hou ! Hou !

Tout en chantant la seconde strophe, la Duchesse se mit à lancer le bébé en l'air et celui-ci hurla si fort qu'Alice put à peine distinguer les paroles :

> *Je parle durement à mon bébé,*
> *Je le bats quand il éternue ;*
> *Car il peut vraiment aimer*
> *Le poivre quand il veut !*

« Si chacun voulait bien s'occuper de ses affaires, grogna la Duchesse,
le monde tournerait autrement plus vite qu'il ne le fait. »

CHŒUR

Hou ! Hou ! Hou !

« Tenez, bercez-le un peu, si vous voulez ! dit la Duchesse à Alice en lui lançant le bébé. Il faut que j'aille me préparer pour la partie de croquet de la Reine », et elle sortit précipitamment de la pièce. La cuisinière lui jeta une poêle à frire au moment où elle franchissait le seuil, mais elle la manqua.

Alice avait bien du mal à tenir le bébé, car c'était une petite créature de forme étrange, qui allongeait les bras et les jambes en tous sens : « On dirait une étoile de mer », se dit Alice. Le pauvre petit haletait comme une machine à vapeur quand elle le prit dans ses bras, et ne cessait de se tortiller et de se tendre, si bien que pendant une minute ou deux, elle crut qu'elle ne réussirait jamais à le tenir. Dès qu'elle eut compris comment il fallait le bercer (en le repliant pour en faire un nœud, puis en tenant solidement son oreille droite et son pied gauche, pour l'empêcher de se dénouer), elle l'emmena dehors. « Si je ne l'enlève pas d'ici, pensa Alice, d'ici un jour ou deux elles l'auront tué ! Ce serait vraiment un crime de leur abandonner, n'est-ce pas ? » Alice se demandait cela à haute voix, et le petit être répondit par un grognement (il avait cessé d'éternuer). « Ne grogne pas, dit Alice, ce n'est pas ainsi que doivent s'exprimer les bébés. »

Le bébé grogna derechef, et Alice lui jeta un regard inquiet. Sans aucun doute, son nez *très* retroussé ressemblait beaucoup plus à un groin qu'à un vrai nez ; de plus, ses yeux devenaient bien trop petits pour des yeux de bébé ; somme toute, il y avait quelque chose dans la physionomie de ce bébé qui ne plaisait pas du tout à Alice. « Mais peut-être sanglotait-il, tout simplement ? » se dit Alice, et elle regarda dans ses yeux pour voir s'il y restait des larmes.

Non, il n'y en avait pas. « Si vous devez vous transformer en cochon, mon cher », dit Alice, d'un ton sérieux, « moi, je ne m'occupe plus de vous. Attention ! » La pauvre petite créature se remit à sangloter (ou à grogner, il était impossible de faire la différence) et leur déambulation se poursuivit un bon moment, sans mot dire.

Alice commençait justement à se demander : « Que ferai-je de cette créature quand je serai rentrée à la maison ? » quand il recommença à grogner, si violemment qu'Alice contempla son visage avec inquiétude. Cette fois il n'y avait pas à s'y tromper, c'était bien un cochon et elle comprit qu'il serait vraiment absurde de le porter plus longtemps.

Elle déposa donc par terre le petit animal et se sentit soulagée de le voir s'enfoncer dans le bois d'un petit trot tranquille. « En grandissant, pensa-t-elle, il serait devenu un enfant vraiment très laid. Mais comme cochon, il est plutôt mignon. » Et elle se mit à penser à d'autres enfants de sa connaissance, qui auraient fait de très jolis cochons, et elle était en train de se dire : « Si seulement on savait comment les transformer... » lorsqu'elle fut passablement étonnée d'apercevoir le Chat du Chester, assis sur la branche d'un arbre, à quelques mètres d'elle.

Le Chat se contenta de sourire en voyant Alice. Il avait l'air d'avoir bon caractère, pensa-t-elle. Mais il avait aussi de très longues griffes et un nombre considérable de dents, et elle estima qu'il valait mieux le traiter avec respect.

« Minet du Chester, commença-t-elle plutôt timidement, ne sachant pas du tout si ce nom lui plairait. Le sourire du Chat s'épanouit davantage. « Bon, ça lui plaît », se dit Alice, qui poursuivit : « Voudriez-vous me dire, s'il vous plaît, quel chemin je dois prendre pour m'en aller d'ici ?

— Cela dépend beaucoup de l'endroit où vous voulez aller, répondit le Chat.

— Ça m'est égal...

— Dans ce cas, peu importe le chemin que vous prendrez.

— Pourvu que j'arrive *quelque part*, ajouta Alice en guise d'explication.

— Oh, vous êtes assurée d'arriver quelque part, si vous marchez assez longtemps. »

Alice estima que c'était une réponse indiscutable. Elle posa donc une autre question : « Quelle sorte de gens vivent dans les parages ?

— Dans *cette* direction, dit le Chat en faisant un geste de la patte droite, vit un Chapelier ; et dans *cette* direction, ajouta-t-il en faisant un geste de la patte gauche, habite un Lièvre de Mars. Vous pouvez rendre visite à l'un ou à l'autre : de toute manière, ils sont fous tous les deux.

— Mais je ne veux pas aller chez des fous !

— Oh, vous ne pourrez pas faire autrement, dit le Chat. Tout le monde est fou ici. Je suis fou. Vous êtes folle.

— Comment savez-vous que je suis folle ?

— Vous l'êtes forcément, dit le Chat. Sinon vous ne seriez pas venue ici. »

Alice estima que cela ne prouvait rien du tout, mais elle poursuivit : « Comment savez-vous que vous êtes fou ?

– Pour commencer, dit le Chat, vous m'accorderez qu'un chien n'est pas fou.

– Je suppose.

– Eh bien, poursuivit le Chat, vous avez remarqué qu'un chien grogne quand il est en colère, et remue la queue quand il est content. Or *moi*, je grogne quand je suis content, et je remue la queue quand je suis en colère. C'est donc que je suis fou.

– J'appelle ça ronronner, pas grogner.

– Appelez ça comme vous voudrez. Jouez-vous au croquet avec la Reine, aujourd'hui ?

– J'aimerais beaucoup, mais je n'ai pas encore été invitée.

– Vous m'y verrez », dit le Chat, et il disparut.

Cela ne surprit guère Alice, qui commençait à s'habituer aux événements les plus extraordinaires. Comme elle avait toujours les yeux fixés sur la branche où il se tenait tout à l'heure, le Chat réapparut soudain.

« A propos, qu'est devenu le bébé ? demanda le Chat. J'allais oublier de vous le demander.

– Il s'est transformé en cochon, répondit Alice très calmement, comme si tout cela était fort naturel.

– Je m'en doutais », dit le Chat, et il disparut à nouveau.

Alice attendit un peu, dans le vague espoir qu'il reviendrait, mais il n'en fit rien, et au bout d'une minute ou deux, elle se mit en marche vers la demeure du Lièvre de Mars. « J'ai déjà vu des chapeliers, se dit-elle. Le Lièvre de Mars sera plus intéressant, et comme nous sommes en mai, peut-être ne sera-t-il pas fou furieux, du moins aussi fou qu'il l'était en mars. » Tout en disant cela, elle leva les yeux et vit le Chat, à nouveau assis sur une branche.

« Avez-vous dit *cochon*, ou *ronchon* ? demanda-t-il.

– J'ai dit « cochon », répondit Alice, et j'aimerais bien que vous cessiez d'apparaître et de disparaître aussi soudainement ; vous me donnez le tournis !

– Entendu », dit le Chat, et cette fois il s'en alla très lentement, en commençant par le bout de la queue et en finissant par le sourire, qui demeura encore quelque temps lorsque tout le reste eut disparu.

« Eh bien ! j'ai souvent vu un chat sans sourire, pensa Alice, mais un sourire sans chat ! C'est bien la chose la plus bizarre que j'aie jamais vue de ma vie ! »

Elle n'avait pas beaucoup marché lorsqu'elle aperçut la maison du Lièvre de Mars. Elle pensa que c'était sa maison car les

cheminées avaient la forme d'oreilles et le toit était recouvert de fourrure. C'était une si grande maison qu'elle ne voulut pas s'en approcher avant d'avoir grignoté un peu du morceau de champignon qu'elle tenait dans la main gauche, et d'avoir atteint soixante centimètres. Mais cela ne l'empêcha pas d'avancer à pas craintifs, en se disant : « Et s'il était fou à lier ! Je crois que j'aurais mieux fait d'aller chez le Chapelier ! »

CHAPITRE 7

Le thé chez les fous

On avait dressé une table sous un arbre, devant la maison. Le Lièvre de Mars et le Chapelier prenaient le thé. Un Loir était assis entre eux, profondément endormi, et les deux autres étaient accoudés sur lui, comme sur un coussin, et conversaient par-dessus sa tête. « Bien incommode pour le Loir, pensa Alice. Mais comme il dort, je suppose que ça lui est égal. »

La table était très grande, mais les trois convives étaient serrés les uns contre les autres à un coin. « Pas de place ! Pas de place ! » s'écrièrent-ils en voyant Alice arriver. « Mais il y a *plein* de place ! » rétorqua Alice, indignée, en s'asseyant dans un énorme fauteuil à un bout de la table.

« Prenez donc un peu de vin », proposa le Lièvre de Mars d'un ton aimable.

Alice promena son regard sur la table, mais il n'y avait que du thé. « Je ne vois pas de vin, fit-elle remarquer.

– Il n'y en a pas, dit le Lièvre de Mars.

– Dans ce cas, ce n'est pas très poli de votre part de m'en offrir, dit Alice en colère.

– Ce n'était pas très poli de votre part de vous asseoir sans y être invitée, rétorqua la Lièvre de Mars.

– Je ne savais pas que c'était *votre* table, dit Alice. Elle est mise pour beaucoup plus de trois personnes.

– Vos cheveux ont besoin d'être coupés », dit le Chapelier. Il fixait Alice depuis un petit moment avec curiosité et c'étaient les premières paroles qu'il prononçait.

« Vous ne devriez pas faire de remarques personnelles, dit Alice avec sévérité. C'est vraiment très grossier. »

A ces mots le Chapelier ouvrit de grands yeux, mais il se contenta de demander : « Pourquoi un corbeau ressemble-t-il à un bureau ? »

« Bon, nous allons nous amuser maintenant ! pensa Alice. Je suis contente qu'ils aient commencé à poser des devinettes. »

« Je crois que je peux le deviner, ajouta-t-elle à haute voix.

– Vous voulez dire que vous pensez pouvoir répondre à cette question, demanda le Lièvre de Mars.

– Exactement, répondit Alice.

– Dans ce cas, vous devriez dire ce que vous pensez, poursuivit le Lièvre de Mars.

– C'est ce que je fais, s'empressa de répondre Alice. Ou du moins... du moins, je pense ce que je dis – ce qui revient au même, n'est-ce pas ?

– Mais pas du tout ! dit le Chapelier. C'est comme si vous disiez que « Je vois ce que je mange », c'est la même chose que « Je mange ce que je vois » !

– C'est comme si vous disiez, enchaîna le Lièvre de Mars, que « J'aime ce qu'on me donne », c'est la même chose que « On me donne ce que j'aime » !

– C'est comme si vous disiez, ajouta le Loir, qui semblait parler dans son sommeil, que « Je respire quand je dors », c'est la même chose que « Je dors quand je respire » !

– C'est la même chose pour vous », dit le Chapelier au Loir. Sur ce, la conversation tomba et ils restèrent silencieux pendant une minute. Alice en profita pour passer en revue tout ce dont elle se souvenait sur les corbeaux et les bureaux, mais elle ne se souvenait de presque rien.

Le Chapelier fut le premier à rompre le silence : « Quel jour du mois sommes-nous ? » demanda-t-il en se tournant vers Alice. Il

avait sorti sa montre de son gousset et la regardait d'un air inquiet, en la secouant de temps à autre et en la portant à son oreille.

Alice réfléchit un instant, puis répondit : « Le quatre.

— Elle retarde de deux jours ! soupira le Chapelier. Je vous avais bien dit que le beurre ne valait rien pour la graisser ! ajouta-t-il en jetant un regard furieux au Lièvre de Mars.

— C'était pourtant le meilleur beurre qu'on puisse trouver, répondit humblement le Lièvre de Mars.

— Oui, mais quelques miettes ont dû tomber dedans, grommela le Chapelier. Vous n'auriez pas dû mettre le beurre avec le couteau à pain. »

Le Lièvre de Mars prit la montre et la regarda d'un air sombre. Puis il la plongea dans sa tasse de thé, et la regarda à nouveau. Mais il ne trouva rien d'autre à dire que : « C'était le meilleur beurre, vous savez.

— Quelle drôle de montre ! » remarqua Alice qui avait regardé par-dessus l'épaule du Lièvre avec curiosité. « Elle indique le jour du mois, mais pas les heures !

— Pourquoi indiquerait-elle l'heure ? marmonna le Chapelier. Est-ce que votre montre à vous indique l'année ?

— Bien sûr que non, répondit Alice sans hésiter. Mais c'est parce qu'une année reste la même pendant très longtemps.

— C'est justement ce qui se passe avec la mienne », dit le Chapelier.

Alice se sentit terriblement désorientée. La remarque du Chapelier semblait n'avoir aucun sens et pourtant, du point de vue de la syntaxe, elle était parfaitement correcte.

« Je ne comprends pas très bien, dit-elle aussi poliment que possible.

— Le Loir s'est endormi », dit le Chapelier, et il lui versa un peu de thé chaud sur le nez.

Le Loir secoua la tête avec impatience et dit, sans ouvrir les yeux : « Bien sûr, bien sûr, c'est justement ce que j'allais dire.

— Avez-vous enfin trouvé la devinette ? demanda le Chapelier, en se tournant à nouveau vers Alice.

— Non. Je donne ma langue au chat, répondit Alice. Quelle est la réponse ?

— Je n'en ai pas la moindre idée, dit le Chapelier.

— Moi non plus », dit le Lièvre de Mars.

Alice soupira. « Je pense que vous auriez certainement mieux à faire qu'à perdre votre temps à poser des devinettes qui n'ont pas de réponse.

– Si vous connaissiez le Temps aussi bien que moi, dit le Chapelier, vous ne parleriez pas de lui en ces termes. Le Temps n'est pas une chose, c'est une personne !

– Je ne comprends pas ce que vous voulez dire, dit Alice.

– Bien sûr que non, répliqua le Chapelier en hochant la tête avec mépris. Je suis même sûr que vous n'avez jamais parlé au Temps !

– Peut-être pas, répondit prudemment Alice. Mais je sais battre les temps quand j'apprends ma musique.

– Ah ! Voilà qui explique tout. Le Temps ne supporte pas d'être battu. Si vous étiez restée en bon termes avec lui, il ferait faire tout ce que vous voudriez, ou presque, à votre pendule. Par exemple, supposons qu'il soit neuf heures du matin, l'heure à laquelle commencent vos leçons : vous n'auriez qu'à dire un mot au Temps et, en un clin d'œil, l'aiguille s'avancerait d'un quart de tour. Il serait une heure et demie, l'heure du déjeuner !

(« Si seulement c'était vrai », soupira à part soi le Lièvre de Mars.)

– Ce serait merveilleux, évidemment, dit Alice d'un air songeur. Mais alors, voyez-vous, je n'aurais pas faim.

– Pas au début, peut-être, dit le Chapelier. Mais les aiguilles pourraient rester sur une heure et demie aussi longtemps que vous le voudriez.

– C'est comme cela que vous faites, vous ? » demanda Alice.

Le Chapelier hocha la tête d'un air lugubre. « Non, pas moi ! répondit-il. Nous nous sommes disputés le mois dernier, juste avant que celui-ci devînt fou (il désigna le Lièvre de Mars de sa cuillère à thé). C'était au grand concert donné par la Reine de Cœur et je devais chanter :

> *Scintillez, scintillez, petite chauve-souris*
> *Ou vous disparaîtrez dans ce ciel tout gris !*

Je suppose que vous connaissez cette chanson ?

– J'ai déjà entendu quelque chose dans ce genre, dit Alice.

– Elle continue comme ça :

> *Dans le ciel, vous voletez,*
> *Comme un plateau à thé !*
> *Scintillez, scintillez... »*

A ce moment, le Loir se secoua et se mit à chanter dans son sommeil : *« Scintillez, scintillez, scintillez... »* et continua ainsi pendant si longtemps qu'il fallut le pincer pour le faire taire.

A ce moment, le Loir se mit à chanter dans son sommeil : « Scintillez, scintillez, scintillez. »

« Eh bien, reprit le Chapelier, j'avais à peine fini le premier couplet quand la Reine hurla : "Il assassine le Temps ! Coupez-lui la tête !"

– Mais c'est horrible ! s'écria Alice.

– Et depuis lors, poursuivit le Chapelier d'un ton lugubre, le Temps refuse de faire ce que je lui demande. Il est toujours six heures, à présent. »

Une idée lumineuse vint à l'esprit d'Alice. « C'est pour ça qu'il y a tant de tasses et de soucoupes à thé sur la table ?

– Oui, c'est pour ça, soupira le Chapelier. C'est toujours l'heure du thé et nous n'avons jamais le temps de faire la vaisselle.

– Alors vous n'arrêtez pas de faire le tour de la table, je suppose ? dit Alice.

– Exactement, dit le Chapelier, à mesure que la vaisselle a été utilisée !

– Mais qu'arrive-t-il quand vous vous retrouvez à votre point de départ ? s'aventura à demander Alice.

– Si nous changions de sujet, interrompit le Lièvre de Mars, en bâillant. J'en ai assez de celui-là. Je propose que la jeune demoiselle nous raconte une histoire.

– J'ai peur de n'en connaître aucune, dit Alice, peu enchantée de cette proposition.

– Alors, le Loir va nous en raconter une ! s'écrièrent-ils tous deux. Eh, Loir ! Réveille-toi ! » Et ils le pincèrent.

Le Loir ouvrit lentement les yeux. « Je ne dormais pas, dit-il d'une voix rauque et faible, je n'ai pas perdu un seul mot de ce que vous disiez.

– Raconte-nous une histoire ! dit le Lièvre de Mars.

– Oh oui, je vous en prie ! renchérit Alice.

– Et dépêche-toi, ajouta le Chapelier, ou tu vas te rendormir avant d'avoir fini !

– Il était une fois trois petites sœurs, commença le Loir en toute hâte, qui s'appelaient Elsie, Lacie et Tillie ; elles vivaient au fond d'un puits...

– De quoi se nourrissaient-elles ? demanda Alice, qui prenait toujours un très vif intérêt aux questions de nourriture.

– Elles se nourrissaient de mélasse, dit le Loir, après avoir réfléchi une minute ou deux.

– C'est impossible, elles auraient été malades, fit gentiment remarquer Alice.

– Mais elles l'étaient, dit le Loir, elles étaient très malades. »

Alice essaya de s'imaginer à quoi pouvait bien ressembler une manière de vivre aussi extraordinaire, mais c'était pour elle un tel casse-tête qu'elle préféra demander : « Mais pourquoi vivaient-elles au fond d'un puits ?

– Reprenez donc un peu de thé, proposa le Lièvre de Mars à Alice, d'un air pénétré.

– Je n'en ai pas encore pris, répondit Alice d'un ton offensé, je ne vois pas comment je pourrais en prendre un peu plus.

– Vous voulez dire que vous ne pouvez pas en prendre moins, dit le Chapelier, on peut toujours reprendre plus de rien.

– On ne vous a pas demandé votre avis, à vous, répliqua Alice.

– Qui est-ce qui fait des remarques personnelles, à présent ? » demanda le Chapelier d'un air de triomphe.

Ne sachant trop que répondre à cela, Alice se servit du thé et du pain beurré, puis se tournant vers le Loir, elle répéta sa question : « Pourquoi vivaient-elles au fond d'un puits ? »

Le Loir réfléchit à nouveau une minute ou deux, puis il lâcha : « C'était un puits de mélasse.

– Cela n'existe pas ! » s'écria Alice, furieuse, mais le Chapelier et le Lièvre de Mars firent "Chut ! Chut !" et le Loir fit remarquer d'un ton boudeur : « Si vous ne pouvez pas être polie, vous feriez mieux de finir cette histoire vous-même !

– Non ! Je vous en prie, continuez ! dit humblement Alice. Je ne vous interromprai plus. Après tout, il existe peut-être un puits de mélasse, au moins un seul.

– Un seul, vraiment ! » s'écria le Loir, indigné. Toutefois, il consentit à poursuivre : « Donc, ces trois petites sœurs, voyez-vous, apprenaient à puiser...

– Que puisaient-elles ? interrompit Alice, qui avait déjà oublié sa promesse.

– De la mélasse, répondit le Loir sans prendre, cette fois, le temps de réfléchir.

– Je veux une tasse propre, intervint le Chapelier, avançons d'une place. »

Tout en parlant, il se déplaça, suivi du Loir. Le Lièvre de Mars prit la place du Loir et Alice, à contrecœur, prit celle du Lièvre de Mars. Le Chapelier fut le seul à profiter de ce changement et Alice se trouva la plus défavorisée car le Lièvre de Mars venait de renverser le pot à lait dans son assiette. Alice, qui ne voulait pas offenser le Loir une fois de plus, commença à dire très prudemment : « Mais je ne comprends pas. Où puisaient-elles cette mélasse ?

– Vous pouvez puiser de l'eau dans un puits d'eau, dit le Chapelier, pourquoi ne pourriez-vous pas puiser de la mélasse dans un puits de mélasse ? Vous êtes idiote, vraiment !

– Mais elles étaient *dans* le puits, dit Alice au Loir, préférant ignorer la dernière remarque du Chapelier.

– Bien sûr qu'elles étaient dedans, répondit le Loir, et puis surtout, bien au fond. »

Cette réponse décontenança tellement la pauvre Alice qu'elle laissa le Loir poursuivre sans plus l'interrompre.

« Elles apprenaient aussi à dessiner, dit-il en bâillant et en se frottant les yeux, car il commençait à avoir vraiment sommeil, et elles dessinaient toutes sortes de choses... Tout ce qui commençait par un M.

– Pourquoi par un M ? dit Alice.

– Et pourquoi pas ? » répliqua le Lièvre de Mars.

Alice se tut.

Le Loir avait fermé les yeux, cette fois, et commençait à s'endormir. Mais le Chapelier l'ayant pincé, il se réveilla en poussant un petit cri et il poursuivit : « ... qui commençait par un M, tels mouche, mirliton, mémoire, machins... A propos, avez-vous déjà vu un dessin de machins ?

– A vrai dire, maintenant que vous me le demandez, dit Alice, dont les idées étaient passablement embrouillées, je ne pense pas...

– Dans ce cas, vous feriez mieux de vous taire », dit le Chapelier.

Cette dernière grossièreté était plus qu'Alice n'en pouvait supporter. Elle se leva, complètement dégoûtée, et s'en alla. Le Loir s'endormit immédiatement et les deux autres ne prêtèrent aucune attention à son départ, bien qu'elle se retournât une ou deux fois, dans le vague espoir qu'ils la rappelleraient : la dernière fois qu'elle les vit, ils essayaient d'introduire le Loir dans la théière.

« En aucun cas, je ne remettrai les pieds ici ! » dit Alice, comme elle s'enfonçait dans les bois. « C'est vraiment le thé le plus stupide auquel j'aie jamais assisté ! »

Comme elle disait cela, elle remarqua que l'un des arbres disposait d'une porte qui permettait de pénétrer à l'intérieur du tronc. « Voilà qui est tout à fait curieux ! pensa-t-elle. Mais tout est curieux aujourd'hui. Je crois que je ferais aussi bien d'entrer. » Ce qu'elle fit.

Elle se retrouva dans la grande salle, tout près de la petite table de verre. « Cette fois, il faut que je m'y prenne mieux », se dit-elle. Elle commença par s'emparer de la petite clé en or, puis par ouvrir la petite porte qui menait au jardin. Ensuite, elle se mit à grignoter

le morceau de champignon (qu'elle avait gardé dans sa poche)
jusqu'à ce qu'elle ne mesure plus que trente centimètres. Puis elle
traversa le petit corridor : et *alors...* elle se trouva enfin dans le
merveilleux jardin, au milieu des parterres de fleurs et des fraîches
fontaines.

CHAPITRE 8

Le terrain de croquet
de la Reine

Un superbe rosier se dressait près de l'entrée du jardin. Il était couvert de roses blanches que trois jardiniers s'affairaient à peindre en rouge. Alice trouva cela bien curieux et s'approcha d'eux pour les regarder faire. Comme elle arrivait à leur hauteur, elle entendit l'un d'eux qui s'écriait : « Fais donc attention, Cinq ! Arrête de m'éclabousser comme ça !

– Ce n'est pas ma faute, dit Cinq d'un ton boudeur. Sept m'a poussé le coude. »

A ces mots, Sept leva la tête et déclara : « Surtout, ne te gêne pas, Cinq ! Pour toi, c'est toujours de la faute des autres !

– Toi, tu ferais mieux de te taire, dit Cinq. Pas plus tard qu'hier j'ai entendu la Reine dire que tu méritais d'être décapité.

– Pourquoi ? demanda celui qui avait parlé le premier.

– Ça, c'est pas tes affaires, Deux ! répliqua Sept.

– Mais si, c'est son affaire ! dit Cinq. Et je vais lui dire pourquoi : c'est parce que Sept a apporté à la cuisinière des oignons de tulipes au lieu d'oignons ordinaires ! »

Sept jeta son pinceau et venait juste de dire : « Eh bien, de toutes les injustices... » quand son regard tomba sur Alice qui les observait. Il s'interrompit brusquement ; les deux autres se tournèrent et les trois peintres s'inclinèrent très bas devant elle.

« Voudriez-vous me dire, je vous prie, pourquoi vous peignez ces roses ? » demanda Alice, un peu intimidée.

Cinq et Sept ne répondirent rien, se contentant de regarder Deux, qui commença à voix basse : « Eh bien, le fait est, voyez-vous mademoiselle, que ce rosier aurait dû être un rosier à fleurs rouges, et que par erreur nous en avons planté un à fleurs blanches. Si la Reine venait à s'en apercevoir, elle nous ferait couper la tête. Aussi, voyez-vous mademoiselle, nous faisons de notre mieux, avant qu'elle n'arrive, pour... » A ce moment, Cinq, qui surveillait avec anxiété le fond du jardin, s'écria : « La Reine ! La Reine ! » et les trois jardiniers se jetèrent immédiatement à plat ventre sur le sol. On entendit un bruit de pas impressionnant et Alice, qui était impatiente de voir la Reine, se retourna.

En tête, marchaient dix soldats, armés de gourdins et qui avaient l'aspect de cartes à jouer, comme les trois jardiniers : rectangulaires et plats, avec les mains et les pieds fixés aux quatre coins. Puis venaient les courtisans, aux habits émaillés de diamants, et qui marchaient deux par deux, comme les soldats. Après eux, venaient les enfants royaux : il y en avait dix et les chers petits gambadaient joyeusement par couples, main dans la main ; ils étaient entièrement ornés de cœurs ; ensuite venaient les invités, pour la plupart des Rois et des Reines ; et parmi eux, Alice reconnut le Lapin Blanc : il parlait d'une manière craintive et volubile, en souriant à tout ce qui se disait. Il passa près d'Alice sans faire attention à elle. Suivait derrière le Valet de Cœur, portant la couronne royale sur un coussin de velours rouge, et enfin, parachevant ce noble cortège, venaient le ROI et la REINE DE CŒUR.

Alice se demanda si elle ne devait pas se coucher sur le sol, face contre terre, comme les trois jardiniers, mais elle ne se souvenait pas avoir jamais entendu dire que l'on devait agir ainsi au passage d'un cortège. « D'ailleurs, se dit-elle, à quoi servirait un cortège, si tous les

Parachevant le noble cortège, venaient le ROI et la REINE DE CŒUR.

spectateurs devaient se prosterner, le visage contre terre, et ne pas le voir passer ? » Elle resta donc debout et attendit.

Lorsque les membres du cortège arrivèrent à la hauteur d'Alice, tous s'arrêtèrent pour la regarder, et la Reine demanda, d'un ton sévère : « Qui est-ce ? » en s'adressant au Valet de Cœur qui, pour toute réponse, s'inclina en souriant.

« Imbécile ! » s'exclama la Reine, en secouant la tête avec impatience et, se tournant vers Alice, elle poursuivit : « Comment vous appelez-vous, mon enfant ?

– Je m'appelle Alice, plaise à Votre Majesté », répondit très poliment Alice, tout en se disant à elle-même : « Après tout, ces gens-là ne sont jamais qu'un paquet de cartes. Je ne vois pas pourquoi j'aurais peur d'eux ! »

« Et qui sont ceux-là ? » demanda la Reine, en désignant du doigt les trois jardiniers prosternés autour du rosier ; car, voyez-vous, comme ils étaient couchés face contre terre, et que le dessin sur leur dos était semblable à celui des autres cartes, elle ne pouvait pas distinguer si c'étaient des jardiniers, ou des soldats, ou des courtisans, ou trois de ses propres enfants.

« Comment le saurais-je, dit Alice, surprise de son audace. Ce n'est pas mon affaire. »

La Reine devint écarlate de fureur et, après l'avoir fixée d'un air féroce elle se mit à hurler : « Qu'on lui coupe la tête ! Qu'on lui coupe...

– Ne dites pas de bêtises ! » répliqua Alice d'une voix forte et décidée.

La Reine se tut immédiatement. Le roi posa alors la main sur le bras de son épouse, en murmurant timidement : « Réfléchissez, ma chère ; ce n'est qu'une enfant ! »

Furieuse, la Reine lui tourna le dos, et ordonna au Valet : « Retournez-les ! »

Avec beaucoup de précaution, le Valet retourna les cartes, du bout du pied.

« Debout ! » cria la Reine d'une voix aiguë.

Les trois jardiniers se relevèrent d'un bond, et commencèrent à saluer le Roi, la Reine, les enfants royaux et tous les membres du cortège.

« Arrêtez ! hurla la Reine. Vous me donnez le tournis ! » Puis se tournant vers le rosier, elle poursuivit : « Qu'étiez-vous donc en train de faire ?

– Plaise à Votre Majesté », répondit Deux, d'une voix très humble, et en s'agenouillant, « nous essayions...

– Je vois ! » dit la Reine qui, entre-temps, avait examiné les roses. « Qu'on leur coupe la tête ! » et le cortège se remit en route, tandis que trois soldats restaient en arrière pour exécuter les malheureux jardiniers, qui coururent se mettre sous la protection d'Alice.

« On ne vous coupera pas la tête ! » dit Alice, en les cachant dans un grand pot de fleurs. Les trois soldats, après les avoir cherchés pendant une minute ou deux, regagnèrent tranquillement leur place dans le cortège.

« Leur a-t-on coupé la tête ? hurla la Reine.

– Leurs têtes ont disparu, plaise à Votre Majesté, hurlèrent à leur tour les trois soldats.

– C'est parfait ! cria la Reine. Savez-vous jouer au croquet ? »

Les trois soldats restèrent silencieux et regardèrent Alice à qui, visiblement, s'adressait cette question.

« Oui ! hurla Alice.

– Alors, venez ! » rugit la Reine, et Alice se joignit au cortège, en se demandant ce qui allait encore lui arriver.

« Il... il fait vraiment très beau, aujourd'hui », fit une petite voix timide près d'elle. C'était le Lapin Blanc qui marchait à ses côtés et lui jetait des regards inquiets.

« Très beau, dit Alice. Où est donc la Duchesse ?

– Chut ! Chut ! » murmura vivement le Lapin Blanc, en regardant anxieusement par-dessus son épaule. Puis se dressant sur la pointe des pieds, il mit sa bouche contre l'oreille d'Alice et chuchota : « Elle a été condamnée à mort. »

– Pourquoi ?

– Avez-vous dit « quel malheur » ? demanda le Lapin.

– Non, répondit Alice. Je ne trouve pas du tout que ce soit un malheur. J'ai dit « pourquoi ? »

– Elle a giflé la Reine... », commença le Lapin. Alice éclata de rire. « Oh, chut ! » murmura le Lapin avec frayeur. « La Reine va vous entendre ! Voyez-vous, la Duchesse était arrivée en retard, et la Reine avait dit...

– A vos places ! » cria la Reine d'une voix de stentor. Sur quoi, tout le monde se mit à courir dans tous les sens, en se cognant les uns contre les autres ; néanmoins, au bout d'une minute ou deux, chacun avait gagné son poste et la partie commença.

De sa vie, Alice n'avait jamais vu un terrain de croquet aussi étrange : le sol n'était que trous et bosses ; les boules étaient des hérissons vivants ; les maillets des flamants roses vivants : et les soldats devaient se plier en deux, pieds et mains appuyés sur le sol, pour former les arceaux. Au début, la principale difficulté fut pour

Alice, de se servir de son flamant : elle parvint assez facilement à tenir le corps de l'animal coincé sous son bras, les pattes pendantes, mais en général, au moment précis où elle avait obtenu qu'il reste avec le cou bien droit, et s'apprêtait à cogner le hérisson avec sa tête, le flamant se retournait et la regardait dans les yeux d'un air si intrigué qu'Alice ne pouvait s'empêcher d'éclater de rire ; et quand elle lui avait fait baisser la tête, pour recommencer, elle trouvait particulièrement exaspérant de s'apercevoir que le hérisson s'était déroulé, et en avait profité pour s'enfuir. En outre, il y avait généralement un trou ou une bosse à l'endroit où elle voulait envoyer le hérisson, et comme les soldats pliés en arceaux n'arrêtaient pas de se redresser pour aller se poser ailleurs, Alice en arriva rapidement à la conclusion que c'était vraiment un jeu très difficile.

Les joueurs jouaient tous en même temps, sans attendre leur tour ; ils se querellaient sans arrêt et se disputaient les hérissons. Au bout d'un instant, la Reine entra dans une furieuse colère et se mit à parcourir le terrain en tapant du pied et en hurlant :

« Qu'on lui coupe la tête, à lui ! Qu'on lui coupe la tête, à elle ! » Ce qui faisait, à peu près, une tête par minute.

Alice commença à se sentir mal à l'aise ; bien sûr, elle ne s'était pas encore disputée avec la Reine, mais elle savait que cela pouvait arriver d'une minute à l'autre. « Et alors, pensa-t-elle, que m'arrivera-t-il ? Avec leur manie de couper la tête des gens, ici, ils sont vraiment terribles ; le plus étonnant c'est qu'il y ait encore des survivants ! » Elle regardait autour d'elle, cherchant un moyen de s'enfuir, et se demandait si elle pourrait s'éloigner sans être vue, quand elle remarqua dans les airs une étrange apparition ; tout d'abord elle fut intriguée, mais après l'avoir observée, pendant une minute ou deux, elle comprit que c'était un sourire, et se dit : « C'est le Chat du Chester ; je vais enfin pouvoir parler à quelqu'un. ».

« Comment allez-vous ? » demanda le Chat dès qu'il eut assez de bouche pour parler.

Alice attendit que les yeux fussent apparus pour saluer le Chat d'un signe de tête. « Ce n'est pas la peine de lui parler, tant que ses oreilles n'ont pas fait leur apparition, tout au moins une des deux », pensa-t-elle. Un instant plus tard, la tête tout entière étant visible, Alice posa son flamant par terre et se lança dans un compte rendu de la partie de croquet, ravie d'avoir trouvé quelqu'un pour l'écouter. Le Chat, qui jugeait sans doute que sa tête suffisait amplement à donner une idée de sa personne, ne fit rien apparaître de plus.

« Je trouve qu'ils ne jouent pas correctement, commença Alice,

d'un ton plutôt mécontent, ils se disputent si bruyamment qu'on ne s'entend plus parler, et ils ont l'air de n'avoir aucune règle de jeu ; ou du moins, s'ils en ont, ils ne les respectent pas... et vous n'avez pas idée combien il est déconcertant de jouer avec des accessoires vivants ; par exemple, l'arceau sous lequel doit passer ma boule choisit ce moment pour aller se promener à l'autre bout du terrain et, il y a un instant, j'aurais certainement croqué le hérisson de la Reine, s'il ne s'était sauvé en voyant arriver le mien !

— Aimez-vous la Reine ? demanda le Chat à voix basse.

— Pas du tout, répondit Alice. Elle est tellement... » A ce moment, elle s'aperçut que la Reine était juste derrière eux, et les écoutait ; aussi ajouta-t-elle : « ... habile, que ça ne vaut pas la peine de finir la partie. »

La Reine passa son chemin en souriant.

« A *qui* parlez-vous ? » demanda le Roi, en s'approchant d'Alice et en regardant la tête du Chat avec curiosité.

« A l'un de mes amis, un Chat du Chester, répondit Alice. Permettez-moi de vous le présenter.

— Il a une tête qui ne me revient pas, dit le Roi. Néanmoins, il peut me baiser la main, s'il le désire.

— Je préfèrerais m'en dispenser, dit le Chat.

— Pas d'impertinence ! dit le Roi. Et ne me regardez pas comme ça ! ajouta-t-il en se cachant derrière Alice.

— Un chat a bien le droit de regarder un Roi, dit Alice. J'ai lu ça dans un livre, mais je ne me rappelle plus lequel.

— Eh bien, il faut qu'il disparaisse », dit le Roi d'un ton décidé ; et il appela la Reine qui passait à ce moment-là : « Ma chère ! Je voudrais que ce chat disparaisse ! »

La Reine ne connaissait qu'une seule manière de résoudre toutes les difficultés, petites ou grandes : « Qu'on lui coupe la tête ! hurla-t-elle, sans se retourner.

— Je vais aller chercher le bourreau moi-même », dit le Roi avec empressement et il partit en toute hâte.

Alice pensa qu'elle ferait tout aussi bien de rejoindre les joueurs pour voir comment se déroulait la partie, quand elle entendit la Reine hurler au loin. Elle l'avait déjà entendue condamner trois joueurs à être décapités pour avoir laissé passer leur tour. Elle partit donc à la recherche de son hérisson. Celui-ci se battait justement avec un autre hérisson et Alice trouva que c'était une excellente occasion de les croquer l'un l'autre ; le seul ennui, c'était que son flamant rose s'était enfui à l'autre bout du jardin, où il essayait vainement de s'envoler dans un arbre.

Lorsqu'elle eut enfin rattrapé son flamant, les deux hérissons avaient disparu. « Cela n'a pas beaucoup d'importance, pensa Alice, puisque tous les arceaux ont quitté ce côté du terrain. » Et serrant le flamant sous son bras pour qu'il ne s'échappe plus, elle retourna vers son ami pour poursuivre leur conversation.

Lorsqu'elle arriva près du Chat du Chester, elle fut surprise de voir qu'une foule énorme l'entourait ; une dispute avait éclaté entre le bourreau, le Roi et la Reine, qui parlaient tous en même temps, tandis que les autres joueurs restaient silencieux et paraissaient fort mal à l'aise.

Dès qu'ils aperçurent Alice, les trois interlocuteurs firent appel à elle pour régler leur différend. Mais comme tous les trois exposaient leurs arguments en même temps, elle eut bien du mal à comprendre ce dont il retournait. L'argument du bourreau, c'était qu'il était impossible de couper une tête si elle n'était pas attachée à un corps dont on pouvait la séparer. Il n'avait encore jamais fait un pareil travail et ce n'était pas à son âge qu'il allait commencer. L'argument du Roi, c'était que tout être possédant une tête pouvait être décapité. Enfin, l'argument de la Reine, c'était qu'elle ferait couper toutes les têtes (c'était sans aucun doute cette dernière remarque qui expliquait l'air consterné de toute l'assistance) si on ne prenait pas immédiatement une décision.

Alice ne trouva rien d'autre à dire que : « Ce Chat appartient à la Duchesse ; vous feriez mieux de lui demander son avis.

– Elle est en prison, dit la Reine au bourreau. Allez la chercher, et ramenez-la ici. » Et le bourreau fila comme une flèche.

Dès qu'il fut parti, la tête du Chat commença à s'effacer, et lorsqu'il revint en compagnie de la Duchesse, elle avait complètement disparu. Le Roi et le bourreau se lancèrent à sa recherche, en courant comme des fous dans toutes les directions, tandis que les autres joueurs reprenaient leur partie de croquet interrompue.

CHAPITRE 9

L'histoire de la Tortue-Parodie

« Vous ne pouvez pas savoir comme je suis heureuse de vous revoir, ma chère vieille amie ! » dit la Duchesse, en prenant affectueusement le bras d'Alice.

Alice était très contente de la retrouver de si charmante humeur, et se dit que c'était peut-être le poivre qui l'avait rendue si méchante lors de leur première rencontre.

« Quand je serai Duchesse, se dit Alice (sans trop y croire, cependant), je n'aurai pas un seul grain de poivre dans ma cuisine. Les soupes s'en passent fort bien, et c'est sans doute le poivre qui rend les gens si coléreux », poursuivit-elle, toute contente d'avoir fait encore une découverte, « et c'est le vinaigre qui les rend aigres, et

la camomille qui les rend amers, et le sucre d'orge et les bonbons qui rendent les enfants si doux. Ah, si les grandes personnes savaient cela, elles seraient sûrement plus généreuses, voyez-vous... »

Elle avait complètement oublié la Duchesse et fut quelque peu surprise de l'entendre susurrer à son oreille : « Vous pensez à quelque chose, ma chère enfant, qui vous a rendue muette. Je ne peux pas vous dire pour l'instant quelle morale il faut tirer de cela, mais je m'en souviendrai dans un petit moment.

— Peut-être qu'il n'y a aucune morale à tirer.

— Taratata, mon enfant ! dit la Duchesse en se serrant de plus en plus contre Alice. Tout à une morale, il suffit de la trouver. »

Alice n'était pas vraiment ravie de sentir la Duchesse si près d'elle : d'abord, parce que la Duchesse était très laide ; ensuite, parce qu'elle appuyait son menton sur l'épaule d'Alice, et que c'était un menton désagréablement pointu. Néanmoins, ne voulant pas se montrer impolie, elle supporta de son mieux cette situation. « Il me semble que la partie se déroule beaucoup mieux, à présent, dit-elle, afin d'alimenter un peu la conversation.

— C'est vrai, dit la Duchesse, et la morale de ceci est : "C'est l'amour, c'est l'amour, qui fait tourner la terre !"

— Quelqu'un a dit, murmura Alice, que la terre tournait convenablement quand chacun s'occupait de ses affaires !

— Eh bien ! cela revient à peu près au même, dit la Duchesse en enfonçant son menton pointu dans l'épaule d'Alice. Et la morale de ceci est : "Occupons-nous du sens, et les sons prendront soin d'eux-mêmes." »

« Elle aime vraiment tirer une morale de tout ! » pensa Alice.

« Je suis sûre que vous vous demandez pourquoi je ne passe pas mon bras autour de votre taille », dit la Duchesse, après s'être tue un petit moment, « la raison en est que j'ai des doutes sur le caractère de votre flamant. Puis-je essayer ?

— Il pourrait vous piquer d'un coup de bec, répondit prudemment Alice, qui ne tenait pas du tout à cette expérience.

— Très juste, dit la Duchesse, les flamants et la moutarde piquent. Et la morale de ceci est : "Qui se ressemble s'assemble."

— Mais la moutarde n'est pas un oiseau, remarqua Alice.

— Exact, comme d'habitude, approuva la Duchesse. Comme vous expliquez toujours les choses avec clarté !

— C'est un minéral, je *pense*, dit Alice.

— Bien sûr que c'en est un », acquiesça la Duchesse, qui semblait prête à approuver tout ce que disait Alice. « Il y a une grande mine de moutarde près d'ici. Et la morale de ceci est : "Il ne faut pas juger les gens sur leur mine."

– Oh, je sais ! s'exclama Alice, qui n'avait prêté aucune attention à cette dernière remarque. C'est un végétal. Elle ne ressemble pas à un végétal, mais c'en est un.

– Je suis tout à fait d'accord avec vous, dit la Duchesse. Et la morale de ceci est : "Sois ce que tu veux paraître." Ou, pour dire les choses plus simplement : "Ne vous imaginez jamais être différente de ce qu'il a pu sembler aux autres que vous étiez ou auriez pu être, tout en restant différente de ce que vous leur aviez semblé être avant d'être différente."

– Je crois que je comprendrais mieux tout ça, dit Alice très poliment, si je le voyais écrit ; quand vous l'énoncez, je n'arrive pas bien à vous suivre.

– Ce n'est rien comparé à ce que je pourrais dire si je voulais, répondit la Duchesse, d'un ton satisfait.

– Je vous en prie, ne vous donnez pas la peine d'en dire plus long, dit Alice.

– Oh ! ne parlez pas de peine ! dit la Duchesse. Je vous fais cadeau de tout ce que j'ai dit jusqu'à présent. »

« Un cadeau qui ne lui coûte pas cher, pensa Alice. Heureusement que l'on ne m'offre pas de pareils cadeaux pour mon anniversaire ! » Mais elle ne se risqua pas à dire cela tout haut.

« Encore en train de penser ? demanda la Duchesse, en lui enfonçant à nouveau son menton pointu dans l'épaule.

– J'ai bien le droit de penser, répliqua Alice d'un ton sec, car elle commençait à en avoir un peu assez.

– Vous en avez tout à fait le droit, dit la Duchesse, tout comme les cochons ont le droit de voler, et la mor... »

Mais cette fois, au grand étonnement d'Alice, la voix de la Duchesse s'éteignit au milieu de son mot favori « morale » et le bras qui serrait le sien se mit à trembler. Alice leva les yeux et vit la Reine qui se tenait devant elle, les bras croisés, les sourcils froncés, le regard menaçant.

« Quelle belle journée, Votre Altesse, commença la Duchesse d'une voix tremblante.

– Je vous préviens, hurla la Reine en tapant du pied, il faut que vous ou votre tête disparaissiez, et ceci en moins de la moitié d'une demi-seconde ! Choisissez ! »

La Duchesse fit son choix et disparut.

« Continuons à jouer », dit la Reine à Alice ; celle-ci, bien trop

effrayée pour dire un mot, la suivit lentement sur le terrain de croquet.

Les autres invités avaient profité de l'absence de la Reine pour se reposer à l'ombre. Mais dès qu'ils la virent, ils se dépêchèrent de reprendre leur partie. La Reine leur fit calmement observer qu'un instant de retard leur coûterait la vie.

Pendant tout le temps que dura la partie, la Reine ne cessa de se quereller avec les autres joueurs, et de crier : « Que l'on coupe la tête à celle-ci ! » ou « Que l'on coupe la tête à celle-là ! » Ceux qu'elle avait condamnés étaient arrêtés par les soldats qui, naturellement, devaient cesser d'être des arceaux pour s'acquitter de cette tâche ; si bien que, au bout d'une demi-heure environ, il ne restait plus un seul arceau sur le terrain, et tous les joueurs, à l'exception du Roi, de la Reine et d'Alice, attendaient en prison qu'on veuille bien leur couper la tête.

Alors la Reine, à bout de souffle, s'arrêta de jouer et demanda à Alice : « Avez-vous déjà vu la Tortue-Parodie ?

— Non, dit Alice, je ne sais même pas ce que c'est qu'une Tortue-Parodie.

— C'est ce qui sert à préparer la soupe à la Tortue-Parodie, expliqua la Reine.

— Je n'en ai jamais vu, ni entendu parler, dit Alice.

— Alors, venez, dit la Reine, elle va vous raconter son histoire. »

Comme elles s'éloignaient ensemble, Alice entendit le Roi dire à voix basse à toute l'assistance : « Vous êtes tous grâciés. » « Voilà une bonne chose ! » se dit Alice, que le nombre d'exécutions ordonnées par la Reine avait beaucoup attristée.

Elles rencontrèrent bientôt un Griffon qui, allongé au soleil, dormait profondément. « Debout, paresseux ! » ordonna la Reine, « je veux que vous emmeniez cette jeune personne auprès de la Tortue-Parodie, pour qu'elle entende son histoire. Pour ma part, il faut que je rentre surveiller quelques exécutions que j'ai ordonnées. » Sur quoi, elle s'éloigna, laissant Alice seule avec le Griffon. Alice n'aimait pas du tout l'aspect du Griffon, mais elle estima que, tout compte fait, elle serait plus en sécurité en restant près de lui qu'en suivant la Reine : elle attendit donc.

Le Griffon se redressa et se frotta les yeux ; puis il regarda la Reine disparaître, au loin, et se mit à rire tout bas : « Que c'est drôle ! dit-il.

— Qu'est-ce qui est drôle ? demanda Alice.

— Mais elle, bien sûr, dit le Griffon. Elle s'imagine tout ça. En réalité, on n'exécute jamais personne. Venez ! »

« Tout le monde ici me dit "Venez"! » pensa Alice en le suivant lentement. « Jamais de ma vie on ne m'a donné autant d'ordres, jamais ! »

Ils n'étaient pas allés très loin lorsqu'ils aperçurent la Tortue-Parodie, assise, triste et solitaire au bord d'un rocher. Et comme ils approchaient, Alice l'entendit pousser un gros soupir. Alice en fut profondément émue. « Pourquoi est-elle si triste ? » demanda-t-elle au Griffon. Et celui-ci répondit à peu près dans les mêmes termes qu'il avait utilisés auparavant : « Elle s'imagine tout ça ; en réalité elle n'a aucune raison d'être triste. Venez ! »

Ils se rendirent donc auprès de la Tortue-Parodie, qui les regardait de ses grands yeux pleins de larmes.

« Voici une jeune personne, dit le Griffon, qui aimerait bien connaître votre histoire.

– Je vais la lui raconter, répondit la Tortue-Parodie d'une voix caverneuse. Asseyez-vous, tous les deux, et ne dites rien avant que j'aie fini. »

Ils s'assirent donc, et restèrent silencieux pendant quelques minutes. Alice pensa : « Je ne vois pas comment elle pourra *jamais* finir, si elle ne commence pas. » Mais elle attendit patiemment.

« Autrefois, dit enfin la Tortue-Parodie, en poussant un profond soupir, j'étais une vraie tortue. »

Ces mots furent suivis d'un très long silence, interrompu seulement, de temps à autre, par un « Hjckrrh », émis par le Griffon, et les sanglots incessants de la Tortue-Parodie. Alice était sur le point de se lever et de dire : « Merci beaucoup, madame, pour votre très intéressante histoire », mais elle ne pouvait s'empêcher de penser qu'il *devait* y avoir une suite. Elle resta donc assise, et ne dit rien.

« Quand nous étions petites, » reprit enfin la Tortue, plus calmement, tout en poussant encore un sanglot de temps à autre, « nous allions à l'école dans la mer. La maîtresse était une vieille tortue que nous appelions la Tortue de Terre...

– Pourquoi l'appeliez-vous la Tortue de Terre, si elle n'en était pas une ? demanda Alice.

– Parce qu'elle était terre à terre, répondit la Tortue en colère. Vraiment, je vous trouve quelque peu bornée !

– Vous devriez avoir honte de poser une question aussi stupide ! » ajouta le Griffon.

Sur quoi, ils restèrent tous les deux silencieux, à regarder la pauvre Alice, qui aurait bien voulu disparaître sous terre. Enfin le Griffon dit à la Tortue-Parodie : « Allons, vieille noix, vous n'allez quand même pas nous faire languir jusqu'à demain ! » Et la Tortue reprit en ces termes :

« Oui, nous allions à l'école dans la mer, bien que vous n'ayez pas l'air de le croire...

– Je n'ai jamais dit que je ne vous croyais pas ! interrompit Alice.

– Si, vous l'avez dit, répliqua la Tortue.

– Taisez-vous ! » ajouta le Griffon, avant même qu'Alice ait eu le temps de placer un mot. La Tortue-Parodie reprit :

« Nous reçûmes une excellente éducation. En fait, nous allions à l'école tous les jours...

– Moi aussi j'allais à l'école tous les jours, dit Alice. Il n'y a pas de quoi être si fière !

– Il y avait des cours supplémentaires à votre école ? demanda la Tortue-Parodie, un peu inquiète.

– Oui, dit Alice, nous apprenions le français et la musique.

– Et le blanchissage ?

– Certainement pas ! répondit Alice indignée.

– Ah ! votre école n'était pas vraiment une bonne école, alors ! dit la Tortue-Parodie d'un ton parfaitement soulagé. A la nôtre, au bas des factures, voyez-vous, il y avait : "Français, musique, *et blanchissage* – cours supplémentaires."

– Ce dernier ne devait pas vous servir à grand-chose, dit Alice, puisque vous viviez au fond de la mer.

– De toute façon, c'était trop cher pour moi, dit la Tortue-Parodie, en poussant un soupir. Je ne suivais que les cours ordinaires.

– C'est-à-dire ? demanda Alice.

– Pour commencer, bien sûr, le Bobinage et le Tortillage, répondit la Tortue-Parodie, et les différentes branches de l'Arithmétique : l'Ambition, la Distraction la Laideïfication, la Dérision.

– Je n'ai jamais entendu parler de la « Laideïfication », se hasarda à remarquer Alice. Qu'est-ce que c'est ? »

De surprise, le Griffon leva ses deux pattes en l'air : « Jamais entendu parler d'enlaidir ! s'exclama-t-il. Vous savez ce que veut dire « embellir », je suppose ?

– Oui, répondit Alice d'un ton dubitatif. Cela veut dire : rendre... quelque chose... plus beau.

– Dans ce cas, poursuivit le Griffon, si vous ne savez pas ce qu'enlaidir veut dire, c'est que vous êtes idiote ! »

Alice ne se sentait pas très encouragée à poser d'autres questions à ce sujet. Se tournant donc vers la Tortue-Parodie, elle lui dit : « Qu'avez-vous encore appris ?

– Eh bien, il y avait l'Illusoire, répondit la Tortue-Parodie, en comptant les sujets sur ses pattes, l'ancien et le moderne, et la Maréographie. Puis le Festin – le professeur de Festin était un vieux

« *Pour commencer, bien sûr, le Bobinage et le Tortillage* »,
répondit la Tortue.

congre qui venait une fois par semaine, et qui nous enseignait le Festin, le Touillis et la Friture à la tuile.

— Qu'est-ce que c'est ça, la Friture à la tuile ? demanda Alice.

— Ma foi, je ne saurais vous l'expliquer, dit la Tortue-Parodie, j'ai justement le cerveau trop rouillé pour ça. Et le Griffon ne l'a jamais appris.

— Pas le temps, dit celui-ci. J'étudiais pourtant les Classiques avec un professeur. C'était un vieux crabe.

— Je ne suis jamais allée à ses cours, dit la Tortue-Parodie dans un soupir. Il enseignait le Satin et le Crêpe.

— C'est vrai, c'est vrai, acquiesça le Griffon en soupirant à son tour.

— Et vous aviez combien d'heures de cours par jour ? demanda Alice, pressée de changer de sujet de conversation.

— Dix heures le premier jour, répondit la Tortue-Parodie, neuf le suivant, et ainsi de suite.

— Quel drôle d'emploi du temps ! s'exclama Alice.

— C'est pour cela qu'on les appelle des cours, fit remarquer le Griffon. Parce qu'ils deviennent plus courts, de jour en jour. »

C'était là une idée toute nouvelle pour Alice, et elle y réfléchit un petit moment avant de remarquer : « Mais alors, le onzième jour était un jour de vacances ?

— Naturellement, dit la Tortue-Parodie.

— Et que faisiez-vous le douzième jour ? poursuivit Alice.

— Assez parlé des cours ! interrompit le Griffon d'un ton très décidé. Parle-lui plutôt des jeux, à présent. »

CHAPITRE 10

Le quadrille des homards

La Tortue-Parodie poussa un long soupir et se frotta les yeux avec une de ses pattes.

Elle regarda Alice et essaya de parler, mais, pendant une minute ou deux, les sanglots étouffèrent sa voix. « C'est comme si elle avait une arête dans la gorge », dit le Griffon qui commença à la secouer et à lui taper dans le dos. A la fin, la Tortue-Parodie retrouva la parole, et, des larmes coulant le long de ses joues, elle reprit :

« Vous n'avez peut-être pas beaucoup vécu au fond de la mer... (« En effet », dit Alice)... et peut-être n'avez-vous jamais été pré-

sentée à un homard... (Alice s'apprêtait à dire : « J'en ai goûté une fois... » mais elle se retint à temps, et dit : « Non, jamais »)... de sorte que vous ignorez combien un quadrille de homards est un spectacle merveilleux !

– C'est bien vrai, avoua Alice. Quelle sorte de danse est-ce donc ?

– Eh bien, commença le Griffon, on s'aligne d'abord sur un rang, au bord de la mer...

– Deux rangs ! s'écria la Tortue-Parodie. Phoques, tortues, saumons, et ainsi de suite. Puis, lorsque l'on a nettoyé le terrain de toutes ses méduses...

– Ce qui prend généralement un certain temps, interrompit le Griffon.

– ... on fait deux pas en avant...

– Avec chacun un homard pour partenaire ! s'écria le Griffon.

– Naturellement, dit la Tortue-Parodie, on fait deux pas en avant, avec son partenaire...

– ... on change de homard, on fait deux pas en arrière, poursuivit le Griffon.

– Puis, voyez-vous, continua la Tortue-Parodie, on jette les...

– Les homards ! s'écria le Griffon, en sautant en l'air.

– ... le plus loin possible dans la mer...

– On les rattrape à la nage ! hurla le Griffon.

– On fait un saut périlleux dans la mer ! cria la Tortue-Parodie, en cabriolant comme une petite folle.

– On rechange de homard ! s'égosilla le Griffon.

– On revient sur la terre ferme, et c'est fini pour la première figure », dit la Tortue-Parodie, en baissant brusquement la voix. Et les deux créatures, qui venaient de sauter comme des folles, se rassirent, très tristes et très calmes, et regardèrent Alice.

« Ce doit être une bien jolie danse, dit timidement Alice.

– Voulez-vous que l'on vous en fasse une petite démonstration ? demanda la Tortue-Parodie.

– J'en serais ravie, dit Alice.

– Essayons d'exécuter la première figure ! dit la Tortue-Parodie au Griffon. On peut très bien y parvenir sans les homards, après tout. Qui chantera ?

– Oh, chantez, vous ! dit le Griffon. Mais, j'ai oublié les paroles. »

Ils commencèrent donc à danser en rond, solennellement, autour d'Alice, lui marchant de temps en temps sur les pieds quand ils passaient trop près d'elle, et balançant leurs pattes de devant pour battre la mesure, tandis que la Tortue-Parodie chantait très lentement, et très tristement :

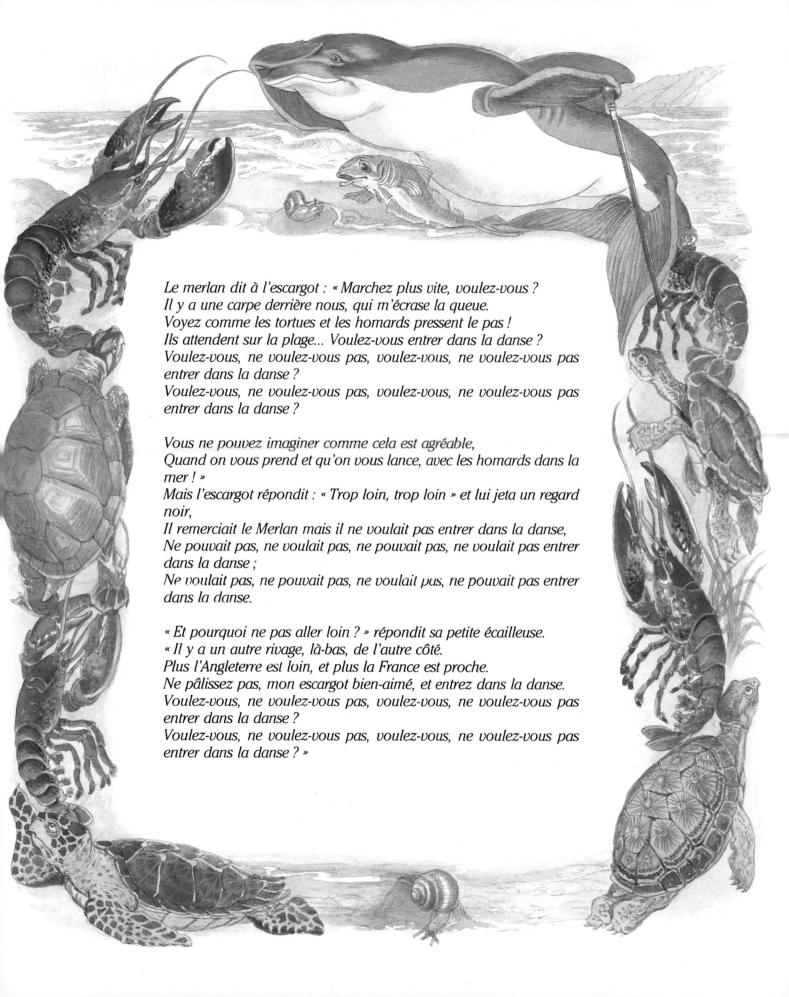

Le merlan dit à l'escargot : « Marchez plus vite, voulez-vous ?
Il y a une carpe derrière nous, qui m'écrase la queue.
Voyez comme les tortues et les homards pressent le pas !
Ils attendent sur la plage... Voulez-vous entrer dans la danse ?
Voulez-vous, ne voulez-vous pas, voulez-vous, ne voulez-vous pas
entrer dans la danse ?
Voulez-vous, ne voulez-vous pas, voulez-vous, ne voulez-vous pas
entrer dans la danse ?

Vous ne pouvez imaginer comme cela est agréable,
Quand on vous prend et qu'on vous lance, avec les homards dans la
mer ! »
Mais l'escargot répondit : « Trop loin, trop loin » et lui jeta un regard
noir,
Il remerciait le Merlan mais il ne voulait pas entrer dans la danse,
Ne pouvait pas, ne voulait pas, ne pouvait pas, ne voulait pas entrer
dans la danse ;
Ne voulait pas, ne pouvait pas, ne voulait pas, ne pouvait pas entrer
dans la danse.

« Et pourquoi ne pas aller loin ? » répondit sa petite écailleuse.
« Il y a un autre rivage, là-bas, de l'autre côté.
Plus l'Angleterre est loin, et plus la France est proche.
Ne pâlissez pas, mon escargot bien-aimé, et entrez dans la danse.
Voulez-vous, ne voulez-vous pas, voulez-vous, ne voulez-vous pas
entrer dans la danse ?
Voulez-vous, ne voulez-vous pas, voulez-vous, ne voulez-vous pas
entrer dans la danse ? »

« Merci, cette danse est très intéressante à regarder, dit Alice, toute heureuse qu'elle fût enfin terminée. Et j'aime beaucoup cette curieuse chanson du merlan !

– Oh, pour ce qui est du merlan..., dit la Tortue, vous avez déjà vu des merlans, bien sûr ?

– Oui, répondit Alice, j'en ai souvent vu à déjeu... (Elle s'arrêta juste à temps).

– Déjeu ? J'ignore où se trouve cet endroit, dit la Tortue. Mais si vous en avez vu souvent, vous savez, bien entendu, de quoi ils ont l'air ?

– Je crois, répondit pensivement Alice. Ils ont la queue dans la bouche et sont couverts de miettes de pain.

– Pour les miettes, vous faites erreur, dit la Tortue. Car elles seraient emportées par les flots. Mais ils ont bien la queue dans la bouche ; et la raison en est que... » Sur ce, la Tortue bâilla et ferma les yeux : « Expliquez-lui pourquoi, et tout le reste, demanda-t-elle au Griffon.

– La raison en est, dit le Griffon, que les merlans voulaient à tout prix aller danser avec les homards. On les jeta donc à la mer. Mais il fallait qu'ils tombent très loin. C'est pourquoi ils mirent leur queue dans la bouche, et serrèrent si fort qu'ils ne purent jamais la retirer. C'est tout.

– Merci, dit Alice, c'est très intéressant. Je ne savais rien de tout ça sur les merlans.

– Je pourrais vous en apprendre bien davantage, si vous le désirez, dit le Griffon. Savez-vous, par exemple, quelle est leur principale occupation ?

– Je ne me suis jamais posé la question, dit Alice. C'est quoi ?

– *C'est eux qui font les chaussures et les bottes* », répondit le Griffon, d'un ton solennel.

Alice paraissait médusée. « Ils font les chaussures et les bottes ! répéta-t-elle d'un ton incrédule.

– Avec quoi faites-vous vos chaussures ? poursuivit le Griffon. Je veux dire, avec quoi les faites-vous briller ? »

Alice examina ses pieds, et réfléchit un moment avant de répondre : « Du cirage noir, puisque mes chaussures sont noires.

– Eh bien, au fond de l'océan, toutes les chaussures sont blanches, expliqua le Griffon. Puisque c'est le merlan qui s'en occupe, et que c'est un poisson blanc, comme vous le savez.

– Moi, à la place du merlan, poursuivit Alice qui pensait toujours aux paroles de la chanson, j'aurais dit à la Carpe : "Laissez-nous tranquilles, s'il vous plaît ! Nous ne voulons pas de vous !"

– C'est impossible, répondit la Tortue, aucun poisson ne voyage sans une carpe...

– Sans une carte, voulez-vous dire ?

– Je veux dire ce que je dis », répliqua la Tortue-Parodie d'un ton offensé. Et le Griffon ajouta en se tournant vers Alice : « Allons, racontez-nous quelques-unes de vos aventures.

– Je peux vous raconter les aventures... qui me sont arrivées depuis ce matin, dit Alice d'une voix plutôt timide. Mais ce n'est pas la peine que je commence depuis hier, car j'étais une personne différente, alors.

– Expliquez-nous ça, dit la Tortue-Parodie.

– Non, non ! Les aventures d'abord, dit le Griffon d'un ton impatient. Les explications durent toujours trop longtemps. »

Alice commença donc à leur raconter ses aventures depuis le moment où elle avait aperçu le Lapin Blanc pour la première fois. Elle se sentait un peu nerveuse, au début, car les deux créatures s'étaient approchées tout près d'elle, une de chaque côté, et ouvraient de grands yeux et une bouche immense. Mais elle prit courage à mesure qu'elle racontait son histoire. Ses auditeurs se montraient très attentifs, mais au moment où elle leur expliqua qu'elle avait voulu réciter : « *Vous êtes vieux, père Guillaume* », à la Chenille, et que lui étaient venus des mots tout différents de ce qu'ils étaient dans le poème original, la Tortue-Parodie respira profondément et dit : « Voilà qui est bien curieux !

– C'est vraiment très curieux, en effet, approuva le Griffon.

– Des mots tout différents du poème original ! répéta la Tortue pensivement. J'aimerais bien entendre maintenant cette jeune personne nous réciter quelque chose. Demandez-lui donc. » Et elle regarda le Griffon comme si elle pensait qu'il exerçait une certaine autorité sur Alice.

« Levez-vous et récitez : « *C'est la voix du traînard* », dit le Griffon.

– Comme ces créatures sont commandeuses, et aiment à vous faire réciter des leçons ! pensa Alice. J'ai l'impression d'être en classe ! » Néanmoins, elle se leva et commença à réciter, mais sa tête était si pleine du Quadrille des Homards qu'elle ne savait plus très bien ce qu'elle disait, et les vers qu'elle prononça étaient vraiment très étranges :

C'est la voix du homard : je l'entends qui déclare
Je suis trop grillé, je dois sucrer mes cheveux.
Comme un canard avec ses paupières, il astique
Avec son nez, ceintures et boutons, et redresse ses orteils.

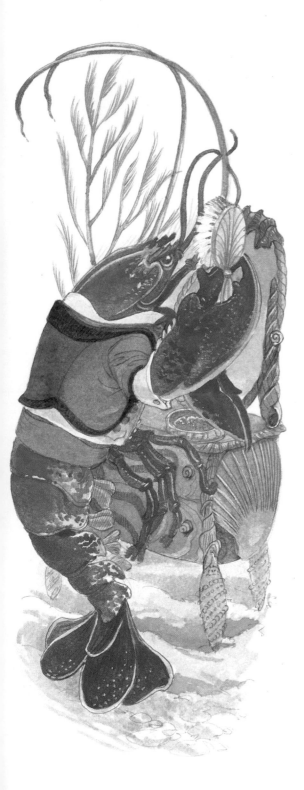

Quand le sable est sec, il est gai comme un pinson,
Et du Requin, se moque, sur tous les tons.
Mais lorsque approchent les Requins, à la marée montante,
C'est d'une toute petite voix qu'il en parle, cette fois !

« C'est très différent de ce que je récitais, quand j'étais enfant, dit le Griffon.

– Pour ma part, je n'avais jamais entendu ça, dit la Tortue. Mais comme âneries, on ne fait pas mieux ! »

Alice ne dit rien ; elle s'était assise, le visage dans les mains, et se demandait si quelque chose de normal se produirait encore au moins une fois !

« J'aimerais bien qu'on m'explique ces vers, dit la Tortue-Parodie.

– Elle n'en est pas capable ! se hâta de dire le Griffon. Passons à la deuxième strophe.

– Mais à propos de ses orteils, insista la Tortue ; comment peut-il les redresser avec son nez à votre avis ?

– C'est la première position lorsque l'on danse », dit Alice qui, complètement désemparée par tout ceci, avait hâte de changer de sujet de conversation.

« Passons à la deuxième strophe, répéta le Griffon. Elle commence ainsi : *« Passant près d'un jardin... »*

Alice n'osa pas désobéir bien qu'elle fût certaine que tout lui viendrait de travers, et elle poursuivit d'une voix tremblante :

Passant près d'un jardin, d'un œil je remarquai
Que la Panthère et le Hibou partageaient un pâté.
La Panthère prit la croûte, et la sauce, et la viande,
Et de l'assiette dut se contenter le Hibou.
Quand le pâté fut avalé, le Hibou, pour toute faveur,
Eut le droit d'empocher la cuillère,
Tandis que la Panthère, s'emparait en grognant,
Du couteau, de la fourchette, et achevait...

« A quoi sert de réciter toutes ces sornettes ? interrompit la Tortue-Parodie, si vous n'expliquez pas, au fur et à mesure, ce que vous racontez ? C'est de loin le poème le plus déconcertant que j'aie jamais entendu !

– Oui, je crois que vous feriez mieux d'arrêter, dit le Griffon à Alice, ravie de ce conseil.

La Panthère et le Hibou partageaient un pâté.

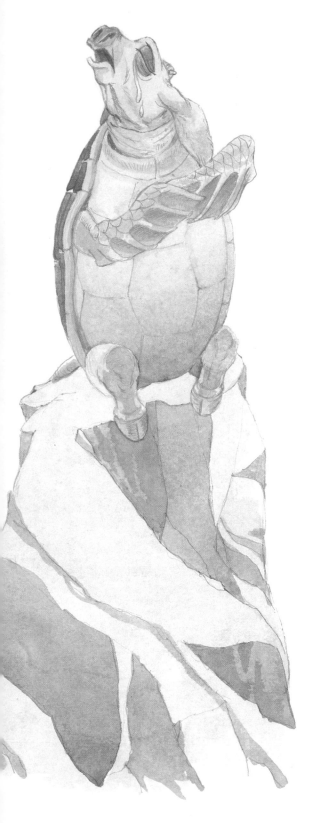

– Allons-nous essayer une autre figure du Quadrille des Homards ? poursuivit le Griffon. Ou préférez-vous que la Tortue vous chante une autre chanson ?

– Oh oui, une chanson, je vous en prie, si la Tortue veut bien », répondit Alice avec un tel empressement que le Griffon bougonna, quelque peu vexé : « Hum ! Chacun ses goûts ! Chantez-lui : *Soupe à la Tortue* , voulez-vous, vieille noix ? »

La Tortue-Parodie soupira profondément, et commença à chanter d'une voix entrecoupée de sanglots :

> *Belle Soupe, si riche, si verte,*
> *Qui attend dans la soupière !*
> *Qui ne faiblirait pour de tels délices ?*
> *Soupe du Soir, Soupe si belle !*
> *Soupe du Soir, Soupe si belle !*
> *Sou-oupe si bé-éelle !*
> *Sou-oupe si bé-éelle !*
> *Sou-oupe du soi-oir,*
> *Sou-oupe si bé-éelle, bé-éelle !*
> *Sou-oupe, si bé-éelle ! Qui*
> *Voudrait du poisson, du gibier,*
> *ou même une volaille ?*
> *Qui ne renoncerait pas à tout*
> *pour deux sous d'une soupe*
> *si belle ?*
> *D'une sou-oupe si bé-éelle !*
> *D'une sou-oupe si bé-éelle !*
> *Sou-oupe du soi-oir,*
> *Sou-oupe si BE-EELLE !*

« Le refrain, une fois encore ! » hurla le Griffon, et la Tortue-Parodie commençait juste à le répéter, quand on entendit crier, dans le lointain : « Le procès va commencer ! »

« Venez ! » ordonna le Griffon et, prenant Alice par la main, il partit en courant, sans attendre la fin de la chanson.

« Quel procès ? » demanda Alice, haletante. Mais le Griffon se contenta de répondre : « Venez ! » et se mit à courir de plus belle, tandis que les accompagnaient, de plus en plus faiblement, portés par la brise, les mots mélancoliques :

> *Sou-oupe du Soi-oir,*
> *Sou-oupe si bé-éelle !*

CHAPITRE 11

Qui a volé les tartes ?

Lorsqu'ils arrivèrent, le Roi et la Reine de cœur étaient assis sur leur trône, entourés d'une foule immense. Elle était composée de toutes sortes de petits oiseaux et autres animaux, ainsi que de toutes les cartes du jeu. Le Valet se tenait devant eux, enchaîné, et encadré par deux soldats. Près du Roi, se trouvait le Lapin Blanc, tenant d'une main une trompette, et de l'autre un rouleau de parchemin. Au milieu de la salle d'audience, on avait dressé une table, sur laquelle était posé un grand plat de tartes. Elles paraissaient si délicieuses que l'appétit d'Alice s'éveilla rien qu'en les regardant. « Je voudrais bien que le procès soit fini, se dit-elle, et que l'on passe aux rafraîchissements ! » Mais il n'y avait apparemment aucune chance pour qu'il en soit ainsi, et Alice se mit à regarder autour d'elle, pour faire passer le temps.

C'était la première fois qu'Alice pénétrait dans la salle d'audience d'un tribunal, mais elle en avait lu des descriptions dans plusieurs livres, et elle fut toute contente de constater qu'elle connaissait le nom de presque toutes les personnes qui s'y trouvaient. « Ça, c'est le juge, se dit-elle, à cause de sa grande perruque. »

Le juge, d'ailleurs, n'était autre que le Roi. Il portait sa couronne par-dessus sa perruque, et ne paraissait pas très à l'aise, cette double coiffe n'étant pas des plus élégantes.

« Et ça, c'est le banc du jury, pensa Alice. Et ces douze créatures (elle était bien obligée de dire « créatures », car, voyez-vous, c'étaient toutes sortes d'oiseaux et autres animaux), je suppose que ce sont les jurés. » Elle se répéta ce mot deux ou trois fois, tant elle était fière d'elle ; car elle pensait, à juste titre, que peu de petites filles de son âge en connaissaient la signification. Cependant, « membres du jury » aurait tout aussi bien convenu.

Les douze jurés étaient très occupés à écrire sur des ardoises. « Que font-ils ? murmura Alice au Griffon. Ils n'ont certainement rien à écrire puisque le procès n'a pas commencé.

– Ils inscrivent leurs noms, répondit à voix basse le Griffon, de peur de l'oublier avant la fin du procès.

– Quels idiots ! » s'écria Alice d'une voix indignée, mais elle s'arrêta net, car le Lapin Blanc s'écria : « Silence dans la salle ! », tandis que le Roi mettait ses lunettes et promenait un regard inquiet autour de lui, pour découvrir qui avait osé parler.

Alice pouvait voir, aussi bien que si elle avait regardé par-dessus leurs épaules, que tous les jurés écrivaient « Quels idiots » sur leurs ardoises, et même que l'un d'eux ne connaissant pas l'orthographe d'« idiots », dut la demander à son voisin. « Ce sera un de ces gribouillis sur leurs ardoises, d'ici la fin du procès ! » se dit Alice.

L'un des jurés avait un crayon qui couinait. Cela, Alice ne put évidemment le supporter ; elle fit donc le tour du tribunal, vint se poster derrière le gêneur, et trouva bien vite l'occasion de lui subtiliser son crayon. Elle s'en empara si vite d'ailleurs que le pauvre petit juré (qui n'était autre que Bill, le Lézard) ne comprit pas du tout ce qui était arrivé à son crayon. Après l'avoir cherché vainement un peu partout, il fut obligé d'écrire avec un doigt pendant le reste de la journée ; ce qui ne servait pas à grand-chose, puisque le doigt ne laissait aucune trace sur l'ardoise.

« Héraut, lisez l'acte d'accusation ! » ordonna le Roi.

Sur ce, le Lapin Blanc sonna trois coups de trompette, puis déroula le parchemin et lut ce qui suit :

La Reine de Cœur avait préparé de belles tartes
Pendant tout un beau jour d'été ;
Mais le Valet de Cœur a dérobé ces tartes
Et très loin, les a emportées !

« Préparez-vous à rendre votre verdict, dit le Roi aux jurés.

– Pas encore ! Pas encore ! protesta énergiquement le Lapin Blanc. Il y a encore beaucoup à faire.

– Appelez le premier témoin », ordonna le Roi. Le Lapin Blanc souffla trois fois dans sa trompette, et cria : « Premier Témoin ! »

Le premier témoin était le Chapelier. Il entra, tenant d'une main une tasse de thé, et de l'autre une tartine beurrée. « Je demande pardon à Votre Majesté, commença-t-il, de me présenter de la sorte ; mais je n'avais pas fini de prendre mon thé quand on est venu me chercher.

– Vous auriez dû avoir fini, dit le Roi. Quand avez-vous commencé ? »

Le Chapelier regarda le Lièvre de Mars, qui l'avait suivi dans la salle, bras dessus, bras dessous avec le Loir.

« Le quatorze mars, je crois bien, dit-il.

– Le quinze, dit le Lièvre de Mars.

– Le seize, dit le Loir.

– Inscrivez cela », ordonna le Roi aux jurés qui s'empressèrent d'écrire les trois dates sur leurs ardoises, puis de les additionner, et de convertir le total en pence et shillings.

« Retirez votre chapeau, dit le Roi au Chapelier.

– Ce n'est pas le mien, dit le Chapelier.

– *Volé !* » s'exclama le Roi, en se tournant vers les jurés qui, aussitôt, prirent note du fait.

« Je vends des chapeaux, expliqua le Chapelier. Ils ne m'appartiennent pas. Je suis chapelier. »

A ces mots, la Reine mit ses lunettes, et regarda le chapelier si fixement, qu'il pâlit et se mit à trembler.

« Faites votre déposition, dit le Roi, et cessez de vous agiter, ou je vous fais exécuter sur-le-champ ! »

Cela ne parut guère encourager le témoin. Il se mit à se dandiner en regardant la Reine et, dans son trouble, croqua dans sa tasse, au lieu de mordre dans sa tartine.

A ce moment précis, Alice éprouva une sensation très étrange qui l'intrigua énormément ; et bientôt, elle comprit ce qui se passait : elle recommençait à grandir. Tout d'abord, elle songea à se lever et à quitter la salle ; mais, à la réflexion, elle décida de rester où elle se trouvait aussi longtemps qu'il y aurait assez de place pour elle.

« J'aimerais bien que vous ne me serriez pas comme ça, dit le Loir, assis à côté d'elle. Je ne peux plus respirer.

– Je n'y peux rien, dit Alice. Je suis en train de grandir.

– Vous n'avez pas le droit de grandir *ici*, dit le Loir.

– Ne dites pas de bêtises, répliqua Alice. Vous savez bien que vous grandissez aussi.

– C'est vrai, mais moi je grandis à une vitesse raisonnable, dit le Loir, pas de cette façon ridicule. » Et furieux, il se leva et gagna l'autre côté de la salle. Pendant tout ce temps, la Reine n'avait cessé de fixer le Chapelier, et juste au moment où le Loir traversait la salle, elle cria à l'un des huissiers : « Apportez-moi la liste des chanteurs du dernier concert ! » Sur quoi, le Chapelier se mit à trembler si fort qu'il en perdit ses chaussures.

« Faites votre déposition, répéta le Roi, furieux, ou je vous fais exécuter, nerveux ou pas !

– Je suis un pauvre homme, Votre Majesté, bredouilla le Chapelier, et je n'avais pas commencé mon thé... il y a une semaine environ... et maintenant le beurre et le pain sont devenus si minces... et le tintement du thé...

– Le tinte... de quoi ? demanda le roi.

– Tout commence par un thé, répondit le Chapelier.

– Je sais que Tinte... et thé commencent par un T ! hurla le Roi. Me prenez-vous pour un âne ? Continuez !

– Je suis un pauvre homme, répéta le Chapelier, et tout se mit à tinter après ça... Mais le Lièvre de Mars a dit...

– Je n'ai rien dit ! interrompit le Lièvre de Mars.

– Si, vous l'avez dit ! riposta le Chapelier.

– Je le nie ! protesta le Lièvre de Mars.

– Il le nie ! N'en tenez pas compte, dit le Roi aux jurés.

– Eh bien, en tout cas, le Loir a dit... », poursuivit le Chapelier en promenant un regard inquiet autour de lui, pour voir si le Loir allait nier lui aussi. Mais celui-ci dormait profondément. « Après cela, donc, ajouta le Chapelier, je coupai quelques tartines beurrées...

– Mais qu'a dit le Loir ? demanda un des jurés.

– Ça, je ne m'en souviens pas, dit le Chapelier.

– Vous devez absolument vous en souvenir, fit remarquer le Roi, sinon je vous fais exécuter. »

Laissant tomber sa tasse et sa tartine, le malheureux Chapelier

« Je suis un pauvre homme, Votre Majesté », dit le Chapelier.

s'agenouilla : « Je suis un pauvre homme, Votre Majesté, commença-t-il.

– Vous êtes surtout un bien pauvre orateur », commenta le Roi.

A ces mots, un des cochons d'Inde applaudit et fut immédiatement étouffé par les huissiers. (Pour ceux qui ne comprennent pas ce mot, je vais vous expliquer comment procédèrent les huissiers : dans un grand sac de toile dont l'ouverture se fermait avec une ficelle, ils introduisirent le cochon d'Inde, tête la première, et s'assirent dessus.)

« Je suis bien contente d'avoir vu ça, pensa Alice. J'ai souvent lu dans les journaux : "A la fin du procès, il y eut plusieurs tentatives d'applaudissements qui furent immédiatement étouffées par les huissiers", et jusqu'à maintenant, je n'avais jamais compris ce que cela voulait dire. »

« Si c'est là tout ce que vous savez, dit le Roi, vous pouvez descendre.

– Je ne peux pas descendre plus bas, répondit le Chapelier. Je suis déjà sur le sol.

– Alors vous pouvez vous asseoir », répliqua le Roi.

A ces mots, l'autre cochon d'Inde applaudit et fut étouffé.

« Enfin débarrassés des cochons d'Inde ! pensa Alice. Tout va aller mieux, maintenant. »

« J'aimerais bien finir mon thé, dit le Chapelier, en jetant un regard inquiet à la Reine, qui lisait la liste des chanteurs.

– Vous pouvez partir », dit le Roi, et le Chapelier se précipita hors de la salle, sans même prendre le temps de remettre ses chaussures.

« ... et dehors, tranchez-lui la tête, ordonna la Reine à l'un des huissiers. » Mais avant que l'huissier ait réussi à gagner la porte, le Chapelier était déjà hors de vue.

« Appelez le témoin suivant ! » s'écria le Roi.

Le témoin suivant était la cuisinière de la Duchesse. Elle tenait sa poivrière dans la main, et Alice devina ce dont il s'agissait avant même qu'elle ne pénètre dans la salle, à la façon dont les gens près de la porte se mirent à éternuer.

« Faites votre déposition, dit le Roi.

– Pas question », dit la cuisinière.

Le Roi jeta un regard inquiet au Lapin Blanc, qui murmura : « Votre Majesté devrait faire subir un contre-interrogatoire à ce témoin.

– Puisqu'il le faut, il le faut », dit le Roi d'un ton mélancolique et, après avoir croisé les bras, et froncé les sourcils à tel point que ses yeux disparurent presque, il ajouta, d'une voix caverneuse : « Avec quoi fait-on les tartes ?

— Du poivre, principalement, répondit la cuisinière.

— De la mélasse, dit une voix ensommeillée derrière elle.

— Prenez ce Loir au collet ! hurla la Reine. Coupez-lui la tête ! Chassez-le ! Etouffez-le ! Pincez-le ! Arrachez-lui les moustaches ! »

Pendant les quelques minutes nécessaires à l'expulsion du dormeur, la plus grande confusion régna dans la salle, et quand tout le monde eut regagné sa place, la cuisinière avait disparu.

« Peu importe ! dit le Roi, l'air profondément soulagé. Appelez le témoin suivant. » Et il ajouta, à voix basse, à l'intention de la Reine : « Vraiment, ma chère, c'est à vous de faire subir un contre-interrogatoire à ce témoin. Moi, ça me donne trop mal à la tête ! »

Très curieuse de savoir quel serait le prochain témoin, Alice observait le Lapin Blanc consulter fébrilement sa liste. « Car, pour l'instant, ils n'ont pas beaucoup de preuves », se disait-elle. Aussi, imaginez sa surprise quand le Lapin Blanc appela, de sa petite voix aiguë : « Alice ! »

CHAPITRE 12

La déposition d'Alice

« Présente ! » cria Alice, oubliant, dans son émoi, combien elle avait grandi au cours des dernières minutes. Elle se leva d'un bond si brusque qu'avec le bas de sa jupe, elle fit dégringoler les jurés sur la tête des gens qui se trouvaient en dessous. Et tout ce petit monde se mit à gigoter comme les poissons rouges du bocal qu'elle avait accidentellement renversé, une semaine auparavant.

« Oh, je vous demande bien pardon ! » s'exclama-t-elle, consternée, en essayant de les relever le plus vite possible, car l'incident des poissons restait présent à son esprit, et elle avait vaguement idée qu'il fallait les ramasser et les remettre sur leur banc tout de suite, faute de quoi ils mourraient.

– L'audience est suspendue, dit le Roi d'un ton solennel, jusqu'à ce que tous les jurés aient repris leur place – tous, sans exception », répéta-t-il en fixant Alice avec insistance.

Alice regarda le banc des jurés et s'aperçut que, dans sa précipitation, elle avait remis le lézard la tête en bas, et que le pauvre malheureux balançait mélancoliquement sa queue. Elle eut vite fait de le replacer dans le bon sens. « Bien que cela n'ait pas beaucoup d'importance, se dit-elle, car dans un sens comme dans l'autre, cela m'étonnerait que le pauvre Bill serve à grand-chose dans ce procès. »

Dès que les jurés furent quelque peu remis de leurs émotions, et qu'on leur eut rendu leurs ardoises et leurs crayons, ils se mirent à écrire, avec beaucoup de zèle, un récit de l'incident ; tous, à l'exception du lézard, qui paraissait trop retourné pour faire autre chose que de rester assis, la bouche ouverte, les yeux fixés sur le plafond.

« Que savez-vous de cette affaire ? demanda le Roi à Alice.

– Rien, répondit la fillette.

– Absolument rien ? insista le Roi.

– Absolument rien, dit Alice.

– Voilà qui est intéressant », dit le Roi en se tournant vers les jurés. Ils s'apprêtaient à écrire sur leurs ardoises quand le Lapin Blanc intervint : « Votre Majesté veut dire inintéressant, bien sûr », dit-il d'un ton très respectueux, mais tout en faisant des grimaces et en fronçant les sourcils.

« Inintéressant, bien sûr, s'empressa d'acquiescer le Roi, qui poursuivit, pour lui-même, à voix basse : « intéressant – inintéressant – intéressant – inintéressant... » comme s'il cherchait lequel sonnait le mieux.

Certains jurés écrivirent « intéressant » et d'autres « inintéressant ». Alice pouvait les voir faire, car elle était assise tout près d'eux. « Mais, de toute façon, cela n'a aucun intérêt », se dit-elle.

C'est alors que le Roi qui, depuis un moment, était fort occupé à griffonner dans un carnet, s'écria : « Silence ! » et lut : « Article quarante-deux. *Toute personne mesurant plus d'un kilomètre doit quitter la salle.* »

Tout le monde regarda Alice.

« Je ne mesure pas un kilomètre, dit Alice.

– Si, affirma le Roi.

– Presque deux kilomètres, ajouta la Reine.

– De toute façon, je ne partirai pas, dit Alice. D'ailleurs cet article n'est pas dans le Code, vous venez de l'inventer.

— C'est le plus vieil article du Code, répliqua le Roi.

— Dans ce cas, ce devrait être l'Article Premier », dit Alice.

Le Roi devint pâle, et referma prestement son calepin.

« Délibérez en vue du verdict ! dit-il d'une voix tremblante aux jurés.

— Il y a d'autres dépositions à examiner, Votre Majesté, intervint le Lapin Blanc, en se levant d'un bond particulièrement brusque. On vient de trouver cette lettre.

— Que dit-elle ? demanda la Reine.

— Je ne l'ai pas encore ouverte, dit le Lapin Blanc, mais il semble que ce soit une lettre écrite par un prisonnier... à quelqu'un.

— Ce doit être ça, dit le Roi, à moins qu'elle ne soit écrite à personne, ce qui n'est guère l'usage.

— A qui est-elle adressée ? demanda un des jurés.

— A personne, répondit le Lapin Blanc. En fait, il n'y a rien d'écrit à l'extérieur. » Il déplia le papier et ajouta : « Finalement ce n'est pas une lettre : c'est un poème.

— A-t-il été écrit de la main du prisonnier ? demanda un autre juré.

— Non, répondit le Lapin Blanc, et c'est bien là ce qu'il y a de plus bizarre. » Les jurés paraissaient perplexes.

« Il a dû imiter l'écriture de quelqu'un d'autre », dit le Roi.

Les jurés parurent soulagés.

« Plaise à Votre Majesté, dit le Valet, ce n'est pas moi qui ai écrit ce poème, et on ne peut pas prouver que je l'ai fait, puisqu'il n'y a pas de signature à la fin.

— Si vous ne l'avez pas signé, dit le Roi, c'est encore pire. Vous devriez avoir en tête quelque mauvais dessein, sinon vous l'auriez signé comme l'eût fait tout honnête homme ! »

Cette dernière remarque souleva une tempête d'applaudissements : c'était la première chose intelligente que le Roi énonçait ce jour-là.

« Cela prouve qu'il est coupable, bien sûr, dit la Reine. Qu'on lui coupe...

— Cela ne prouve rien du tout ! intervint Alice. Vous ne savez même pas de quoi parle ce poème !

— Lisez-le », dit le Roi.

Le Lapin Blanc mit ses lunettes. « Par où dois-je commencer, Votre Majesté ?

— Commencez par le commencement, dit le Roi d'un ton très grave et continuez jusqu'à ce que vous arriviez à la fin ; après, arrêtez-vous. »

« Commencez par le commencement, dit le Roi, et continuez jusqu'à
ce que vous arriviez à la fin ; après, arrêtez-vous. »

Un silence de mort régnait dans la salle tandis que le Lapin blanc lisait ceci :

> *Ils m'ont dit que vous l'aviez vue*
> *Et aviez parlé de moi !*
> *Qu'elle me trouvait bon caractère,*
> *Mais que j'étais un mauvais nageur.*
>
> *Elle leur écrivit que j'étais là*
> *(Nous savons que c'est la vérité) :*
> *Si elle poursuit cette affaire,*
> *Alors, c'en est fait de nous.*
>
> *Je lui en ai donné une, et lui deux,*
> *Vous nous en avez donné trois,*
> *Elles sont passées de lui à vous*
> *Pourtant elles étaient à moi.*
>
> *Si nous nous retrouvons elle et moi*
> *Entraînés dans ce très long procès*
> *Faites qu'on les libère*
> *Comme nous le fûmes autrefois.*
>
> *Je croyais que vous aviez été*
> *(Avant sa terrible colère)*
> *Un obstacle venu se placer*
> *Entre lui, nous, et ceci.*
>
> *Cachez qu'elle les préférait*
> *Cela doit rester toujours*
> *Un secret entre nous,*
> *Entre vous et moi.*

« C'est la preuve la plus importante que nous ayons recueillie jusqu'ici, dit le Roi en se frottant les mains. Et maintenant que les jurés...

– Si quelqu'un peut m'expliquer ces vers, dit Alice (elle avait tellement grandi ces dernières minutes qu'elle ne redoutait nullement d'interrompre le Roi), je lui donne six pence. Pour moi, tout ce fatras n'a aucun sens. »

Tous les jurés inscrivirent sur leurs ardoises : « Pour elle, tout ce fatras n'a aucun sens », mais aucun n'essaya d'expliquer le poème.

« S'il n'a aucun sens, dit le Roi, nous voilà débarrassés de bien des soucis. Nous n'avons plus besoin de lui chercher un sens, et pourtant, à la réflexion », poursuivit le Roi, en étalant le papier sur ses genoux et en y jetant un œil, « on pourrait leur trouver un sens, après tout. Ainsi, *« Mais que j'étais un mauvais nageur »*... Vous ne savez pas nager, n'est-ce pas ? » ajouta-t-il en se tournant vers le Valet.

Le Valet secoua tristement la tête. « Est-ce que j'ai l'air de savoir nager ? » (Il n'en avait pas du tout l'air, puisqu'il était entièrement en carton.)

« Très bien, poursuivons », dit-il, et il marmonna pour lui-même : *« Nous savons que c'est la vérité »*, il s'agit, bien sûr, des jurés... *« Si elle poursuit cette affaire »* – ce doit être la Reine... *« Alors, c'en est fait de nous »*, et comment !... *« Je lui en ai donné une, et lui deux »*, c'est ce qu'il a dû faire avec les tartes...

– Mais vous oubliez : *« Elles sont passées de lui à vous »*, dit Alice.

– Justement, elles sont là ! s'écria le Roi triomphant, en montrant du doigt les tartes posées sur la table. Ces vers sont très clairs. Et celui-ci : *« Avant sa terrible colère »*... Vous ne vous êtes jamais mise en colère, chère amie ? demanda-t-il à la Reine.

– Jamais ! répondit la Reine, en lançant un encrier à la tête du Lézard. (Le malheureux petit Bill avait renoncé à écrire avec son doigt car cela ne servait à rien. Mais il s'empressa de se remettre au travail avec l'encre qui dégoulinait sur son visage.)

« Pour vous, la colère n'est pas de mise aux cartes, alors », dit le Roi en regardant à la ronde avec un sourire. Il y eut un silence de mort. « Mais c'est un jeu de mots ! » ajouta le Roi, furieux, et tout le monde éclata de rire. « Que les jurés délibèrent pour rendre leur verdict », ordonna-t-il alors pour la vingtième fois dans la journée.

« Non, non ! protesta la Reine. La condamnation d'abord, les délibérations ensuite !

– C'est absurde ! s'écria Alice. En voilà une idée de condamner d'abord !

– Taisez-vous ! répliqua la Reine, pourpre de fureur.

– Certainement pas ! dit Alice.

– Qu'on lui coupe la tête ! hurla la Reine. Personne ne bougea.

– Pour qui vous prenez-vous ? dit Alice, qui avait maintenant retrouvé sa taille normale, vous n'êtes qu'un jeu de cartes ! »

A ces mots, le paquet de cartes s'envola dans les airs et retomba sur la pauvre Alice qui poussa un petit cri, moitié de frayeur, moitié de colère. Elle se débattit pour repousser cet assaut, et se retrouva couchée sur le talus, la tête posée sur les genoux de sa sœur, qui

enlevait doucement les feuilles mortes que le vent avait déposées sur son visage.

« Réveille-toi, Alice chérie ! dit sa sœur. Comme tu as dormi longtemps !

– Oh, j'ai fait un rêve très curieux ! » répondit Alice.

Et elle raconta à sa sœur toutes les aventures extraordinaires que vous venez de lire. Quand elle eut fini, sa sœur l'embrassa, et lui dit : « C'est un rêve bien étrange, en effet ; mais maintenant, va vite prendre ton thé. Il est déjà tard. » Sur ce, Alice se leva et s'en alla en courant, tout en songeant au rêve merveilleux qu'elle venait de faire.